JN216783

「どうせ無理」と思っている君へ

本当の自信の増やしかた

植松電機　代表取締役　植松 努

PHP

はじめに

まずは、簡単なことから「やる」のです。
それが力になります。蓄積《ちくせき》されます。輝きます。
人生は、ちょっとフライングしたほうが前に進みやすい。
できない理由なんて無視して、どんどんどんどん、夢を
叶えていけばいいいんです。

この本は、君が自信を持って何かを「やる」ための本です。
夢を叶えようと、スタートするための本です。
そしてこれは、「自信が持てない」という君のための本。
そしてこれは、「自分が信じられない」という君のための本。
「何かやるとか、わからない。夢を叶えるなんて無理」という思い込みを、君のなか

から消すための本です。
本当は、君は自信を持って生まれてきたこと。
本当は、君は自信を持って行動できること。
本当は、君は君が思うよりずっと素敵《すてき》であること。
この本は、こうしたことを知ってもらうために、書かれています。

僕の会社——ロケットを作って飛ばす町工場

本題に入る前に、僕の自己紹介をしておきます。
植松《うえまつ》 努《つとむ》、50歳。北海道にある会社でロケットを作っています。
町工場です。小さいです。社員はたった20人。
それでも僕らは、ロケットを丸ごと全部自分たちで作り、打ち上げることができます。
こういう会社は、世界でも珍しい。そして僕らはロケットだけじゃなく、人工衛星《じんこうえいせい》も丸ごと全部作れます。

さらに僕らの会社には、宇宙《うちゅう》と同じ無重力状態《むじゅうりょくじょうたい》を地上で作り出せる実験施設《じっけんしせつ》があります。これも実はドイツの研究所とアメリカのNASAと日本の僕らのところにしかありません。


小さい頃から、僕は飛行機やロケットが大好きでした。だからロケットを作れるようになりました……って、その「間」の話がすぽっと抜けていますよね？

僕も最初から「できる！」と思っていたわけではありません。

それどころかちょっと前まで、あきらめていました。

「ロケットなんて作れない」「そもそも、危ないから作っちゃいけない」と。

自信なんて、ちっともなかったのです。


そんなときに僕は、北海道大学の永田晴紀《ながたはるのり》先生に出会いました。危ないものだからこそ、安全なロケットを研究しようとしていた先生です。

ロケットが好きだけれど、お金も専門知識《せんもんちしき》もない僕。ただ、もの作りの技術《ぎじゅつ》と実際に作れる工場は持っていました。だから僕は「手伝えるんじゃないかな？」と先生に申し出ました。

ロケットが好きだけれど、お金と技術と工場がない永田先生。ただ、最先端の専門知識は持っていました。だから先生は、「一緒にやろうか？」と僕に言ってくれました。

僕らはお互い、足りなかった。

だからこそ「好き」という共通点でつながり、「足りない」という弱みで助け合うようになったのです。「お金がない」という問題を一緒にクリアする工夫がそこから始まりました。

一緒に夢を叶えるための、冒険《ぼうけん》もそこから始まったのです。

足りないものと足りないものを足すと自信が生まれる

それまで僕は、「助ける」とは、余裕がある人がお金を寄付したりボランティア活動をしたりする、一方的な「ほどこし」だと思っていました。

でもそれは、１００パーセントの間違いでした。

それまで僕は、「足りない」というのは恥《は》ずかしい弱点だから、人には見せずに、１人で頑張《がんば》らなければいけないと思っていました。

でもそれは、１００パーセントの間違いでした。

足りない人と足りない人が、助け合うんです。

足りない人同士が助け合えば、何かができるんです。

だって、僕と永田先生は、本当にロケットを作ってしまったのですから。


もちろん、ロケット作りのプロセスは全然、順調ではありませんでした。

やってみた。失敗した。それでもやってみた。

失敗した。あきらめなかった。やり方を変えてもう一度やった。

その繰り返しを何度も何度も続けるうちに、僕らは、少しずつ自信を手に入れていきました。


足りないことを、馬鹿《ばか》にしてはいけなかった。

足りないことを、恥ずかしがってはいけなかった。

足りない自分を責めない。勇気を出し、恥ずかしさをさらけ出して、人に頼る。相談する。そうすれば、何かが変わるんです。

足りない人と足りない人が勇気を出してつながれば、そこから自信が生まれるのです。

年間1万人を超える人がロケットを飛ばしにやってくる

今では年間およそ1万人が、僕らのところにロケットを飛ばしにやってきます。

自分で作ったロケットが飛んだら、みんな元気な笑顔になります。

視察《しさつ》にくるのは、宇宙関係の仕事をしている大人だけじゃない。

北海道はもちろんのこと、全国の中学、高校から、君のような若い人たちがやってきます。

ロケットの打ち上げ体験をした子どもたちの第1号は、僕の娘のクラスでした。

小学3年生のときに学級崩壊《ほうかい》が起きて、いじめる人といじめられる人が日々変わるという、なんとも陰湿《いんしつ》な状態でした。

「こんなひどい話は聞いたことがない。なぜだろう?」

そう考えたとき、僕は「ひょっとしたら子どもたちには自信がないんじゃないかな」と思いました。そこで担任の先生にお願いしたのです。

「僕らの工場で、子どもたちにロケットを作らせたい。それを実際に打ち上げたい」と。

小さいながら、実際の宇宙ロケットと同じ性能を備えたものです。僕らがキットを用意すれば、子どもでも自分で組み立てて、空高く打ち上げることもできると思いました。

ところが先生は、最初から「無理です」と言うのです。

「このクラスの子たちは、ちょっとでもうまくいかなくなったら『もういい!』ってぐしゃぐしゃにしちゃいますよ。不可能です」と。

それでもお願いして、試しにやってみたら、違いました。

まず、子どもたちに指示をせず、自由に作ってもらったのです。

普段《ふだん》、子どもたちは先生の指示に従っています。

「開けろって言うまで開けるな」「部品を全部確認《かくにん》しなさい」「説明書を読みなさい」

一つ一つ先生に命令されて、従《したが》わなかったり間違ったりすると叱《しか》られます。

「叱られるくらいなら、やらないほうがいいや」となります。

でも、自由に作るのなら、「正解」がないのだから叱られない。

好きにやっていいのなら、子どもはどんどん、好きにやるのです。

わからなければ、隣《となり》の子どもに聞くのです。


そうして無事にロケットが出来上がったのですが、今度は子どもたちが、打ち上げる前から言い訳を始めました。

「私のは失敗する」

「ムリ、無理無理」

「どうせダメなんだ」

でも、試しにやってみたら、違いました。

どの子のロケットも、みんな空高く上がっていったのです。

ポン！　とパラシュートが開いて、ちゃんと帰ってきたのです。
「どうせダメなんだ」と言っていた男の子は、「なんで開くんだよ?」と照れかくしみたいにブツブツ言いながら、それでも嬉《うれ》しそうに、パラシュートを取りに走りました。

これは小さな成功です。でも、自分でやったことが花開くときの、素直な喜び。
小さい自信は大事なんだと、僕が知った瞬間《しゅんかん》でした。
結果的に、娘のクラスのいじめはなくなっていきました。
これは、たくさんの人に共通することだと思います。
何かをやろうと決めて、小さな成功を味わい、小さい自信をつける。
そしてその小さな自信を育てていく。
誰にでもできる、そんな工夫を、この本では書いていきます。

最高にラッキーな時代に生まれた君の可能性《かのうせい》

「自信をつければ、君の夢は叶う」

僕がそう言ったら、君はこう言い返してくるかもしれません。

「そんなことを言われても」と。

たとえば、「お金がないから夢が叶わない」と言うかもしれない。

たとえば、「いい大学に行けないから夢が叶わない」と言うかもしれない。

でも、ちょっと聞いてください。

自信はつけられるし、夢は必ず叶う。これは嘘でもハッタリでもないのです。こういう本にありがちな、ポジティブ思考の押し売りでもないのです。

自信をつければ、君の夢は叶う。

なぜならば、君は最高にラッキーな時代に生まれています。


君は夢がとても叶いやすい「今」を生きているのです。

なぜならば、今は夢を叶えるために、あまりお金がかからない時代です。

たとえば、「宇宙の仕事はとんでもなくお金がかかる」と思っている人が多いけれど、僕らの宇宙開発は、たった20人の工場で稼《かせ》いだお金だけでできています。

なぜならば、今は材料が安いから。

たとえば、僕らのロケットの材料となる特殊《とくしゅ》なプラスチックは、普通《ふつう》にホームセンターで買えます。昔なら特殊な人しか買えない高価なものでした。でも今は、国道沿いを車でちょっと行けばオッケー。最高にラッキーです。

そして、実は、最先端のことをするときには、学歴はあまり関係ありません。たとえば、僕らの工場には、大学で宇宙のことを勉強した人はいません。

なぜならば、必要がないから。

僕らのやっていることは、教科書に書いていません。そもそも誰もやったことがないからです。未知への挑戦に必要なのは学歴じゃなく、興味《きょうみ》と好奇心《こうきしん》。それさえあればできるのです。

だから僕の会社には、高校しか出ていない人も、小学校から学校に行けていない人もいて、普通に宇宙開発をしています。

また、人工衛星を作るときには、宇宙でちょっと傾いてもわかるような特殊なセンサーが必要ですが、これはゲーム機で全然オッケーです。いいものが安く手に入ってラッキーですね。

しかもゲーム機に使われている角度センサーの性能は、今の日本のロケットに搭載《とうさい》されているセンサーより良かったりします。

なぜならば、日本のロケットは30年も前に作られたものだから。

いくら天才が集まって国の名のもとで開発しても、古いものは新しいものに負けます。今のスマホと30年前の携帯電話を比べたら、鉛筆とコンピュータくらい差があります。僕が若い頃は弁当箱くらい大きくて性能の悪い携帯電話でさえ、すごいものだったのです。

新しくて小さくて高性能のものが手軽に使える今を生きている君は、最高にラッキーです。

だったら、日本のロケットも新しいものにすればいい気がしますが、そうはしません。

なぜでしょう?

理由は簡単で、「失敗したくないから」です。

新しい部品を使おうとすると、「失敗したらどうすんの、責任取れるの?」と言われます。宇宙開発は失敗が許されないからこそ、古い技術が使われているのです。

「失敗しないためには、挑戦しない」のが安心、ということで、何も変わらないのです。


失敗すれば、新しいことがわかるのに。

失敗から工夫すれば、もっといいことがわかるのに。

失敗を繰り返してやがて成功すれば、自信が持てるのに。


幸いなことに、君たちはこれから、新しい時代を生きます。

そこに前例はありません。失敗例も成功例もありません。

誰も経験していないから、大人の常識は全く役に立ちません。たとえ口出ししてきても、ほとんど間違っているから、無視してかまいません。

誰もやったことがないことをやる時代だから、誰にでもチャレンジできる。

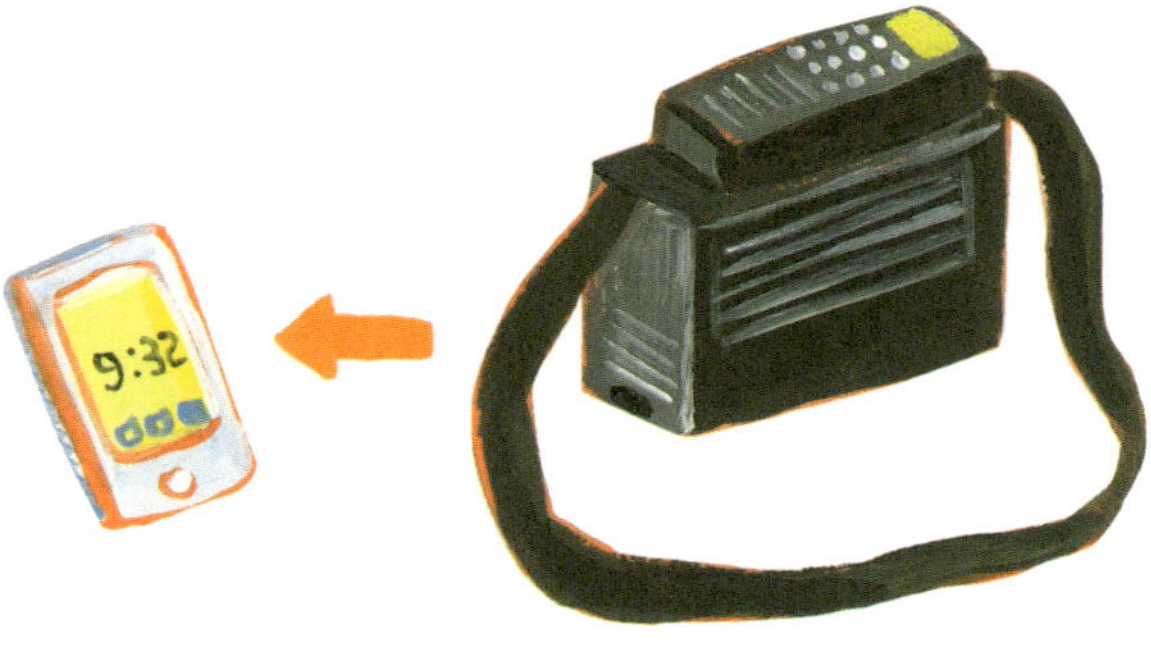

チャレンジすればやがて大きな成功も手に入ります。
そして、**チャレンジするために必要なのは、お金でも学歴でもない。**
自分を信じて自信を持つことです。
新しい時代を生きる君は、すごくラッキー。
最高にラッキーです。

そんなラッキーな君が、どうして自信を持てないのか？
どうしたら自信を取り戻せるのか？
どうしたら自信をエンジンにして、夢に向かって自分を打ち上げられるのか？
そんなことを、この本では書いていきます。

二〇一七年春

植松 努

もくじ

第1章 「自信が持てない」という君に

第2章 ズタボロに傷ついた自信を修理する方法

第3章　本当の自信の作りかた

第4章　君の最高の味方は、君自身

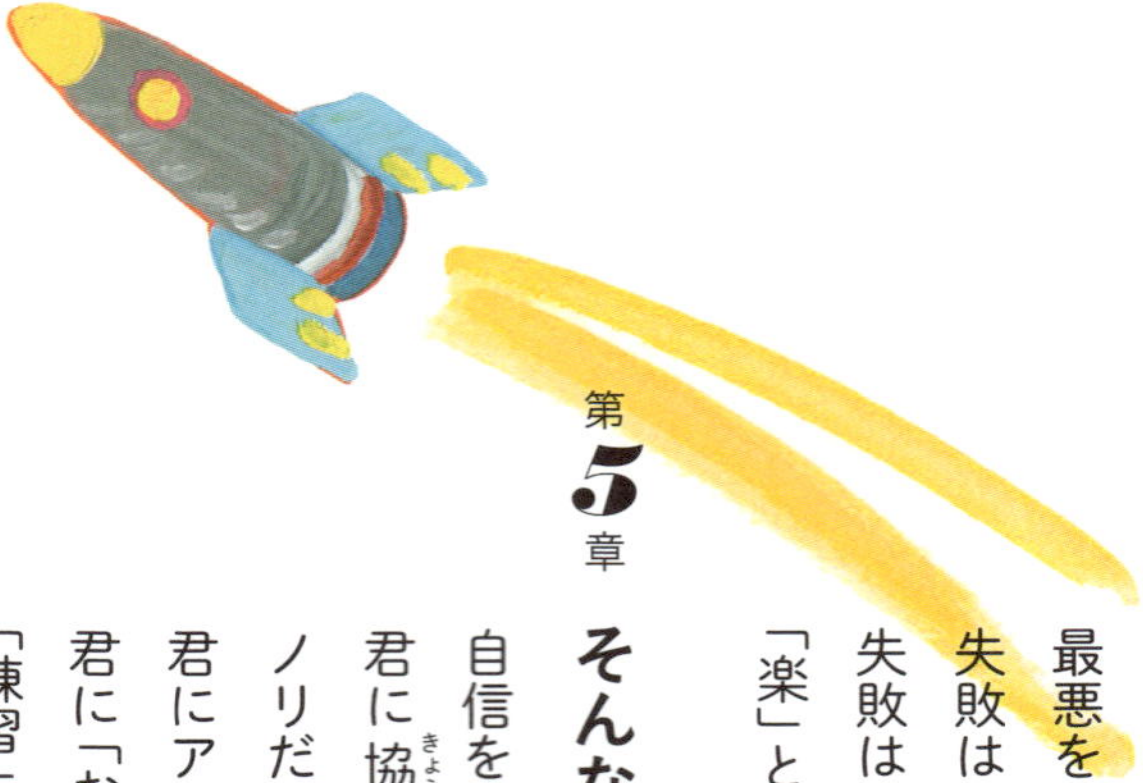

第5章

そんな友だちなんか、君にはいらない

第6章 本当の仲間の作りかた

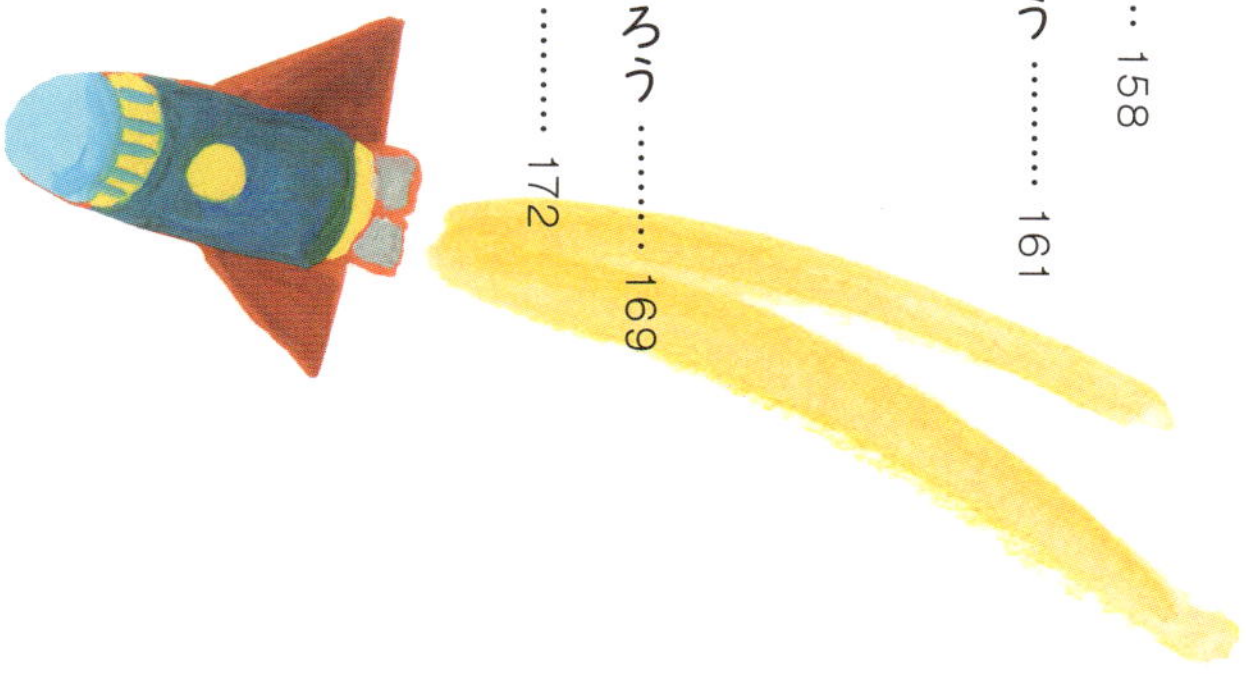

編集協力　青木由美子
装画・本文絵　北村裕花
ブックデザイン　わたなべひろこ

序　章

君は自信を持って生まれてきた

君に夢はありますか？
あるとしても
「叶わない」と
思っているかも
しれません。
でもそれは、１人で
何とかしようとして
いるからです。

歩くことをあきらめる赤ちゃんはいない

君はたぶん、恥ずかしがり屋だと思います。

僕もそうだったから、そんな気がするのです。

恥ずかしがり屋だから、失敗すると、「かっこ悪い」と思う。

みんなが見ている前で、間違えたり、転んだり、チャレンジしてうまくいかなかったりしたら、恥ずかしくて、みっともなくて、悲しくて、一生ベッドにもぐりこんでいたくなる。

たぶん、そんな感じだと思います。


だけどそれって、いつからでしょう？

君が仮に15歳だとして、10歳のときは違ったのかな？

君が仮に20歳だとして、15歳のときは違ったのかな？

僕は50歳だけれど、40歳のときも30歳のときも20歳のときも、失敗したら恥ずかしくてたまりませんでした。

10代なんて、ありとあらゆることがかっこ悪く、恥ずかしさ全開の時代です。

恥ずかしくなくなったのは、実は最近のことです。


僕の場合、年をとったから、恥ずかしくなくなったわけではありません。

たぶん、長いことかかって、やっと思い出したのです。

記憶にないほどずっと昔、僕は失敗がちっとも恥ずかしくなかったということを。

いくら失敗してもくじけずにチャレンジしていたってことを。

僕が恥ずかしくなかった頃、それは赤ちゃんだった頃です。


はいはいを卒業して、つかまり立ちを始めた赤ちゃんは、自分の意思で歩こうとします。

当然だけれど、うまく歩けない。よちよちと1歩踏み出したとたん、転びます。

これは明らかな失敗です。健康な人なら誰でもできる「歩く」という動作が、まともにできないのですから。

でも、赤ちゃんは転んだ自分を、「かっこ悪い」と恥ずかしがったりしません。
「どうせ自分には才能がない」とがっかりしたりもしません。
「歩くのは向いていないから、やめよう」とあきらめたりもしません。
頭からどてっと派手に転んだ赤ちゃんも立ち上がり、何度でも歩こうとするのです。

これが僕たちの本来の姿《すがた》です。

君のもともとの姿です。

君は、自信を持って生まれてきた。

歩く、しゃべる、ものを食べる、笑いかける。

赤ちゃんにとって「はじめてのこと」は無数にあります。

でも赤ちゃんは、そのすべてに挑戦《ちょうせん》し、そのすべてに失敗し、それでも成功するまでなんども挑戦します。

なぜならば、失敗は恥ずかしくないから。

なぜならば、「できる」と自分を信用しているから。

なぜならば、自信があるから。

君もかつては、そんな赤ちゃんでした。

そう、君はしっかりと自信を持って生まれてきたのです。

君は、「意思の力」を持って生まれてきた

「これをしたい」と自分で思ってチャレンジし、失敗し、それでもなんどもチャレンジする。

そうやってチャレンジを繰り返して、いろいろなことができるようになっていく。

いろんなことをやる最初の1歩は、自分で「これをしたい！」と思うことだと僕は思います。

つまり、自分の意思です。英語では「ウィルパワー（意思の力：willpower）」なんて言われています。

すべては「やりたい」という君の気持ちで始まるのです。

「これをやりなさい」と言われたこと「しか」しなかったり、「これをやると将来きっ

と役に立つ」と教わったこと「しか」しなかったり、「これをやらないと自分が困るよ」とおどされたこと「しか」しなかったりだと、自分の意思はどんどん弱くなってしまいます。


僕は、「夢」とは「ドリーム：dream」ではないような気がしています。

僕は、「夢」は「ウィル（意思）：will」だと思います。

そう、夢とは君の内側から湧《わ》き上がってくる「やりたい」という意思だと僕は考えているのです。


もしかすると君は「やりたいことがわからない」と言うかもしれない。

もしかすると君は「やりたいことがあっても、きっとできない」と言うかもしれない。

でも、それは本来の君の姿じゃないんだよ。

本当の君は、ちゃんと「やりたいこと」を知っています。僕はそう信じています。

誰も教えてくれない、なんの手がかりもない、ネットで検索《けんさく》もできない。

たとえそんな状況であっても、君は自分の「やりたい」ということを見つける力を、ちゃんと持って生まれてきました。


僕らの会社では、子どもたちにロケット作りをしてもらうとき、仕上げにさまざまな色のサインペンで好きなように機体を塗ってもらいます。

「今のロケットは普通、こうなっている」という見本もない。

「こういう色が正しいんだよ」という話もしない。

「部品ごとに色分けするのが常識《じょうしき》」などとアドバイスもしない。

「みんなだいたい、この色が好きだね」というお節介《せっかい》は焼かない。


そうすると、子どもたちは自分の好きな色に塗り始めます。

真っ赤に塗りつぶす子もいれば、ボディと先端をきれいなツートンカラーにする子もいます。

ストライプにする子、水玉にする子、謎の模様《もよう》にする子。

ただ、ときどき学年のほぼ全員が、まったく何もかけないで、ロケットが真っ白なことがあります。なんだかさびしくて、なぜなのかを、いろんな子に尋ねてみました。

そうしたら、ある子が答えてくれました。「何かをかくと、何か言われるの。言う子は何もかかない子なの」。

大学生の女の子にロケットを作ってもらおうと思ったら、「私は不器用だから無理です」と言いました。僕は「いつから不器用になったの？　小学校1年生のとき不器用だった？」と尋ねたら、その子ははっとした顔になりました。そして、「ちがう」と言いました。彼女は少し考えてから、「誰かに評価されてから不器用だと思うようになったかも……」と言いました。

自分の大好きなことややってみたいことを「勉強に関係ないし、くだらないからやめなさい！」と言われて、誰かが点数をつけてくれることしか許されなくなったら、自分のなかの「大好き」や「やってみたい」がどんどん消えてしまいます。

でも本当は、君にはちゃんと「やりたいこと」があります。意思の力があります。そう、君はしっかりと「意思の力」を持って生まれてきました。

君は、「夢見る力」を持って生まれてきた

「私には夢がありません」という人がいます。
君ももしかしたら、そうかもしれない。
「夢なんか別にない」と言うかもしれない。
でも、夢と意思がイコールだったとしたら、どうでしょう？
「私には意思がありません」と宣言《せんげん》するのは、とってもこわいことです。

朝、起きるかどうかも、意思がないから、自分では決められない。
朝ごはんはまずパンから食べるのか、先に牛乳を飲むのかも決められない。
通学路で会った友だちに、「おはよう」と声をかけるかどうかも決められない。
今、自分が何をしたいのか、将来、自分が何をしたいのかも決められない。
今、どんな自分でいたいのか、どんな自分になりたいのかも決められない。

どうでしょう？　僕だったら、そんなふうになるのは、ものすごくこわいです。

でも、決めない癖《くせ》がついてしまうと、もっとこわいことになってしまいます。

「別に」「どうでもいいし」「どっちでもいい」「みんなに合わせる」

こういう決まり文句に逃げるのは便利なやり方だけれど、そんなことをしていたら、君は君でなくなってしまう。

君はやがて、大人が「こうしたほうがいい」ということを黙《だま》ってやるようになるでしょう。

君はやがて、人からどう思われるかばかり気にして、楽しくなくてもまわりに合わせて楽しいフリをするようになるでしょう。

自分で決めない癖がついて、意思をなくし、夢をなくすと、君は自分が何をやりたいかを見失ってしまいます。まわりに流され、人のいいなりになってしまいます。

本当はやりたくないことを、あきらめながら続けて生きていく、そんな危険もあるのです。

「しょうがないから」「ほかにないから」「仕事だから」「お金のためだから」

自分に言い訳をしながら、誰かに命じられたことを誰かに言われたやりかたでやる人生。

それって、君らしさでしょうか？
それって、本当の君でしょうか？
失敗もしないかわりに、チャレンジの喜びもない。それが君の未来でしょうか？

君はもともと、失敗してもあきらめず、チャレンジする力を持って生まれてきました。

君はもともと、「これがやりたい」という意思を持って生まれてきています。
それならば、君はもともと、未来を夢見る力を持って生まれてきているのです。
それならば、君は自信を持って生まれてきているのです。

ただ、君はそれを忘れているだけ。ただ、君はそれをなくしかけているだけ。
だから僕は、君に取り戻してほしいんです。
忘れかけた自分と、忘れかけた自信を。
忘れかけた意思と、忘れかけた夢を。

第 *1* 章

「自信が持てない」という君に

学歴も、成績も、
他者評価《たしゃひょうか》も、
人生を決定しません。
「誰かに評価されたい」と
思ったら、
たちまち評価する人の
奴隷《どれい》になります。
君に忘れないで
ほしいのは、
世界はとっても広い
ということ。

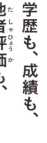

なぜ君は自信をなくしてしまったのか

僕のまわりには、「自信が持てない」という人が少なからずいます。

本を書いたり講演《こうえん》をしたりしているので、僕のもとには全国の小学生、中学生、高校生から手紙がきます。大学生や大人だと、メールをくれたり訪ねてきてくれたりします。

その人たちは、僕にいろいろなことを言います。楽しいことも教えてくれますが、誰にも言えないような悩みも打ち明けてくれます。その多くがこんな悩みです。

「何をしていいのかわかりません。何ができるのかわかりません。自分なんて……」

これは、意思の力がない状態です。そして、意思の力と自信は、とても強くつながっています。

意思の力がないと、自信が増えません。自信がないと、自分で考えて行動できません。

君も今、自信が持てずにいるかもしれません。

なぜ君は、生まれながらに持っていた自信をなくしてしまったのでしょうか？

僕が考えるに、それは君が「世の中」にふれたからです。

世の中は素晴らしいところで、素敵な人もやさしい人も素晴らしい人もたくさんいます。

すごいものも、びっくりすることも、わくわくする何かにもあふれています。

でも、それは世の中のすべてではありません。

残念なことに、世の中には、素敵でない人も、やさしくない人も、素晴らしくない人もたくさんいます。

悲しいことも、ひどいことも、絶望《ぜつぼう》するしかない何かもいっぱいあります。

君の自信は、そんな「世の中のダークサイド」によって傷ついたのだと僕は考えています。

世の中には、人の心を潰《つぶ》す人、人の夢を壊《こわ》す人、人の自信をズタボロにする人がいます。

最初から悲しい結論《けつろん》を言うようだけれど、これは現実です。

そういう人たちは、ネットやテレビで見るような犯罪者《はんざいしゃ》でしょうか？

血も涙もない悪役キャラでしょうか？

実は、そんなことはないんです。

「世の中のダークサイド」と言ったけれど、これは正確な表現ではありません。光と闇《やみ》が2つで1つのセットになっているように、ダークサイドは世の中に溶け込んでいます。

つまり残念なことに世の中には、なんの悪気もなく、君の心を潰す人もいっぱいいるのです。

さらに残念なことに、「あなたのためを思って」という愛情から、君の夢を壊す人もいっぱいいるのです。

君に失敗をさせたくないから、君が困るのを見たくないから、「そんな夢みたいなこと言っていないで、現実を見て、できそうなことをまじめにやりなさい」「そんな夢じゃあ食べていけないから、ちゃんとした普通の仕事にしなさい」という自分の常識や普通をおしつけて、君の意思の力を潰してしまう人も、実は本当はとてもやさしい人なんです。

これが世の中というやつの、困ったところです。

「どうせ無理」という呪文《じゅもん》が自信を殺す

決定的に君の自信を殺すのは「どうせ無理」という呪文だと僕は思っています。

「どうせ無理」と言って、自分は何もしない。チャレンジしない。

「どうせ無理」と言って、夢を持って頑張っている人を笑い者にする。

そういう人は、びっくりするほど多いのです。


君のまわりには「どうせ無理」が口癖《くちぐせ》という人はいないでしょうか？

僕が大学に入ったときには、「どうせ無理」の呪文をつぶやく同級生が結構《けっこう》いました。

僕の場合、自分なりに頑張って勉強していたので、大学に合格したときは嬉しかったです。でも、入学してみたら、みんなが嬉しいわけではありませんでした。

同級生は、大きく分けると、次の3つ。

❶この学校に入りたくて来た人。

❷偏差値《へんさち》がちょうどよくて、合格しそうだから来た人。
❸もっといい学校に行きたかったのに行けなくて、しょうがなくこの学校に来た人。

❸の人たちは「自分なんて、どうせ無理」というのが染み込んでいました。

「志望校に行けなくて、こんな学校に来てしまったから、僕の人生はもうダメだ。どうせいい会社になんて入れない。頑張ったって無駄《むだ》だ。夢なんて持ったって無駄だ」

その人たちは最初、自分に対して「どうせ無理」という呪文をつぶやいていましたが、やがてまわりの人たちがターゲットになりました。夢がある友だち、頑張りたい友だちを攻撃《こうげき》し始めたのです。

「何、夢なんか語っちゃってるの？　意識高い系？　どうせ無理なのに」

「頑張っちゃって、よーやるわ。どうせ無理だよ」

「そんなのよっぽど頭が良くないと、お金もかかるし、どうせ無理だ」

冷やかし、からかい、馬鹿にする。「どうせ無理」の呪文を言う人は、頑張る人の夢や努力を潰したり、邪魔《じゃま》をしたりします。僕も昔はずいぶんやられてしまいました。

僕はロケットを作り始めたときも、「どうせ無理」の呪文をたくさん浴《あ》びました。

「たった20人の町工場で、素人《しろうと》がロケットを飛ばす？　どうせ無理ですよ」

「資金は？　技術は？　どうせ無理な夢を追っているより、仕事をしっかりやるほうがいい」

僕はもう大人になっていたので、その呪文にやられない方法を知っていました。「どうせ無理」の呪文をはねかえしたから、僕は自信を奪《うば》われなかった。夢を壊されなかった。最終的に、宇宙ロケットを作ることができました。

僕は結婚して、親になったから、子どもへの愛情から「どうせ無理」と言ってしまう親がたくさんいることも知っています。

自分の子が失敗して傷つくのを見たくないから、子どもの挑戦を「どうせ無理」と止める親。

自分の子に幸せになってほしいから、子どもの夢を「どうせ無理」と壊す親。

挑戦しなければ絶対に失敗しないから、安全だと考えるのでしょう。それも「子どもを守りたい」という愛情であることは確かですが、厳《きび》しい言い方をすると、子どもをしばりつけるだけの愛という名の鎖《くさり》に見えます。

君には、「どうせ無理」という呪文をはじき返す人になってほしい。だからその方法も、教えます。でもその前に、1つだけ覚えておいてほしい。

「どうせ無理」という呪文を持つ人は、悪人ではなく被害者であるということを。

君の友だちが、「どうせ無理」という人になった理由は明らかです。

君のお父さんやお母さんが、「どうせ無理」という人になった理由は明らかです。

それはかつて誰かに「どうせ無理」と言われ、自分の自信や夢や可能性を、ズタボロにされてしまったからなのです。ゾンビ・ホラーものの映画やなんかで、ゾンビに嚙《か》まれた人がゾンビになってしまうのと同じことです。映画のゾンビは、誰彼かまわずに襲ってくるけど、人間は違います。「どうせ無理」に自信を奪われた人間は、自分に歯向かってこない人を選んで襲います。だから、一番やさしい人が狙われます。それと同じで「どうせ無理」に自信を奪われた人は、

自分より弱そうな人の自信を奪おうとします。
このゾンビの連鎖を防ぐために、君には、「どうせ無理」に負けない人になってほしい。
そして「どうせ無理ゾンビ」を憎《にく》まないでいてほしい。
君が「どうせ無理」に負けないで、どんどん夢を叶えていったら、その君の輝きが、「どうせ無理ゾンビ」に負けない人を増やします。

「優越感《ゆうえつかん》ウイルス」に感染した自信

君は、競争をしたことがあるでしょうか?

学校に行ったことがあるのなら、おそらく全員、何かしら競争をしていると思います。

勉強。スポーツ。絵や音楽。かわいさ、かっこよさ。すべてに順位がつけられます。

なぜならば、「競争とは、子どもに自信を持たせるいい方法だ」と信じて疑《うたが》わない大人がたくさんいるためです。僕の見るところ、かなりの数の先生や親が、そう思い込んでいます。

「ほら、君はAくんより足が速い。自信を持って！」

「成績1位はBさんでも、君は2位だ。3位以下の人よりもすごいんだから自信を持ちなさい」

こんなふうに誰かと比較《ひかく》することで、君に自信を持たせようとします。


でも、このやりかたは、間違っていると僕は思います。

誰かと比べたり、何かの勝負に勝ったりして生まれるのは、自信ではなくて優越感です。


自信のかわりにはびこる優越感は、まるで悪質なウイルス。感染力《かんせんりょく》がとても高く、大人になってもこのウイルスにかかったままの人がたくさんいます。

「うちは貧乏《びんぼう》かもしれないけれど、あの人のうちよりはまし」

「私はかわいくて人気がある。あなたとは違う」

「俺はたいして出世しなかったけれど、あいつよりは上だ」

優越感ウイルスにかかった人は、ほんものの自信が持てません。だからいつも自分と誰かを比べます。

スクールカーストや、クラスの一軍と二軍。どれも優越感ウイルスに感染した人たちが大好きな差別の定番。これが大人になると、ママカーストやパワハラや人種差別になります。

優越感ウイルスにかかった人は、あらゆる方法で「私はあの人より勝っている！」と自分に言い聞かせ、自慢《じまん》し、優越感を感じることで、なんとか自分を安心させようとします。

ところが、「あいつより俺が上」と思っていても、世の中にはもっと上の人がいます。「やった！　1位になった！」と喜んでいても、いずれ負けるときがきます。

そうなると、自分の立場が危《あや》うくなるので、似た者同士でつるむようになります。

つまり、優越感はあっても自信のない人同士が集まって、もっと弱い人や自分たちと違う人を集団で攻撃するようになるのです。

「俺たちは純粋《じゅんすい》な日本人だから偉《えら》いんだ」と、外国の人を見下す。

「僕のほうが年上だから、なんでも知っているんだ」と、年下の人を見下す。

攻撃された人は傷つきますし、攻撃するほうも、決して満たされない。だから攻撃なんかやめたいと思っても、似た者同士の集団から抜け出すと自分が攻撃されるので、抜けられない。

とても悲しく、恐ろしく、かっこ悪いことです。

「私は、あの人よりすごい」という優越感は、パッと見たところは自信と似ているのに、どうしようもなく違うことを、君にもわかってほしいと願っています。

「自信が持てない」という君は、もしかしたら、人と比べることで安心する、優越感ウイルスに感染しかけているのかもしれません。

「1位、2位」「上手、下手」「強い、弱い」「最高、最低」

こんなふうに学校やまわりの大人たちから、いつも誰かと比較され、評価され、優越感と自信を取り違えてしまったのかもしれません。

自信は、優越感とは違います。自信は自分の内側から湧き上がってくることで、誰かと比べる必要はありません。1人でいても輝き続け、何があってもなくならないものが自信です。

僕が、誰かと比べることを自己存在にしなくてすんだ理由は、じいちゃんかもしれません。

僕のじいちゃんはいつも「努はやさしいねえ」とほめてくれました。だから僕は、やさしくなろうとしました。

もしも、「頭がいいねえ」と言われたら、僕は成績を良くしようと頑張ったでしょう。そして、どこかで行き詰まり、逆に自分以下を作るようになったかもしれません。「やさしさ」には、比べるものがありませんでした。限度もありませんでした。

残念ながら僕は、たくさんの暴力を受けてきました。だから暴力がこわいです。だから僕は、暴力を使いそうになってしまうことがあります。効果があると思っているから使いたいのです。

でもそれを防ぐことができているのは、「努はやさしいねえ」の一言だったと思います。

君には、優越感というウイルスに自信を乗っ取られないでほしいのです。

成績で君を評価する人、おもしろさで君を評価する人、見かけで君を評価する人の顔色をうかがう生きかたは、君にちっとも似合《にあ》わない。

なぜならば、流行なんかに左右される誰かの評価も通用しないほど、君の生きる世界は広いのですから。

「これだけは自信があります！」という危うさ

君はもしかすると「自分には自信がある」と思っているかもしれません。

それは素晴らしいことで、僕は嬉しいけれど、その自信は一点集中型になっていないかどうかだけ、気をつけてほしいと思います。

「僕はサッカーが大好きで、サッカーだけは自信がある」

「勉強には絶対的な自信がある」
「ずっと続けてきたピアノが私の自信です」

こうしたことのどこが悪いんだろうと君は思うかもしれませんが、**「これだけは自信があります！」というのは、実はとても危ういことです。**

僕は小さい頃から、ピアノとバイオリンを習っていました。音楽が大好きで、いっぱい練習しました。うまいという自信もありました。

でも中学生のとき、親父の工場の手伝いをしていて、左手を工作機械に巻き込まれてしまいました。結構な怪我《けが》で、僕は指の一部を失ったのです。

たった数秒で、僕は練習していたすべての楽器を弾《ひ》けなくなってしまいました。

もしも僕が「一生懸命やりなさい！」と言われて音楽しかやっておらず、「音楽だけには自信がある！」という状態だったら、がっかりして、心が壊れてしまったかもしれません。

ラッキーなことに、僕には大好きなことが、ほかにもたくさんありました。

ペーパークラフト作り、本を読むこと、宇宙について調べること……。

だから音楽ができなくなっても心を壊さずにすんだし、今でも音楽が大好きです。

左手が不自由でも演奏できる楽器はあるし、楽器を作るのも楽しいのです。

人生は何があるかわかりません。

ある日突然、走れなくなってしまうこともあり得る。

ある日突然、声が出なくなってしまうことだってあり得る。

だからこそ君には「これだけは自信がある！」というようになってほしくありません。

「あれも、これも自信がある」というように、なってほしいと思います。

自信と夢はつながっていますから、夢も一つじゃないほうがいいのです。

夢もたくさんあったほうがいいのです。

君が「あれもやりたい、これもやりたい」と、夢をたくさん持ったら、きっと「中《ちゅう》途《と》半端《はんぱ》だ」と怒ったり、「何でも屋だ」と笑う人が出てくるでしょう。

だけど、そんなの、ちっとも気にしなくていいのです。

第2章

ズタボロに傷ついた自信を修理する方法

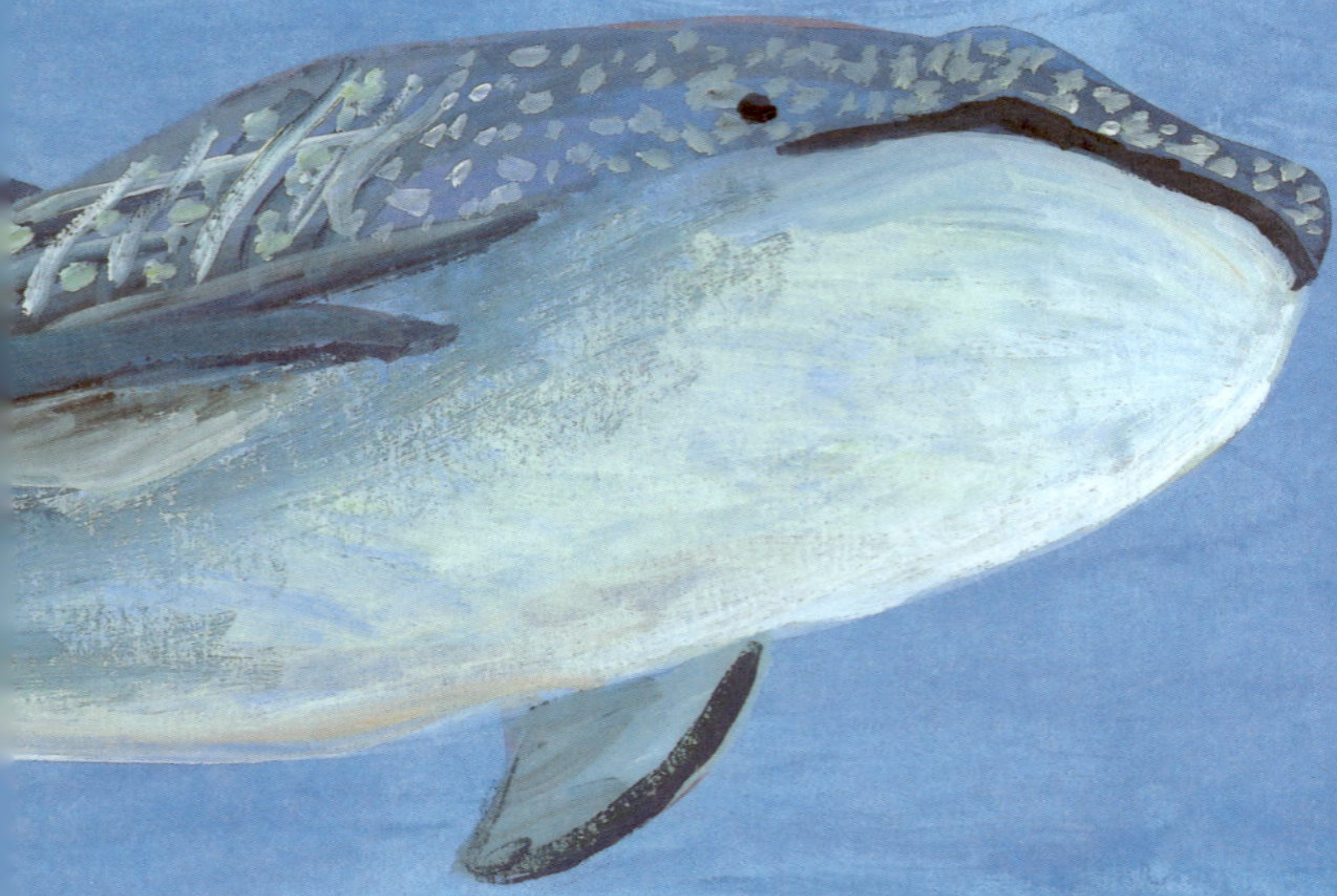

たくさんの人が、
君に教えてくれるでしょう。
「できない理由」と
「無意味な理由」を。
でも、そんなことを
いくら聞いても、
結果はゼロです。
君に必要なのは
この一言じゃないか
と思います。
「まずは、
近くの簡単な夢から
叶えてみたら？」

大事なものを修理すると宝物になる

「自分なんて……」という言葉を使ってしまう君は、「自分には自信がない」と思っていることでしょう。

でも、本当は、「自信は生まれつき持っていたけれど、今は傷ついて、縮《ちぢ》こまっている」という状態ではないかと思います。

その原因は、「間違った自信」です。「間違った自信」を追いかけさせられると、本当の自信はどんどん傷ついてしまうのです。

でも、傷がついたら、直せばいいです。

僕は、小さい頃から物を作るのが好きでした。学校の授業では、工作の時間だけ輝いていました。でも、いきなり最初から完璧なものは作れません。完成してからも、「うーん。思ったのと違ったなあ」という点がいくつも見つかります。それを直して、よりよくできたときは本当に嬉しいです。ということで僕は、作るのも好きなんだけど、直してよりよくするのも好きになりました。何度も手をかけてよりよくしたものには、愛着がわきます。思い出が増えて、大切になります。

僕は、高校生の頃に買ってもらった自転車に、35年たった今でも乗っています。100キロも200キロも離れたところにも行ける素晴らしい自転車です。でも、たくさん転んだし、パンクしたし、チェーンも切れました。それでも、直し続けたから、今でも僕の相棒です。

僕の部屋の本棚には、小学生の頃に大好きだった本もたくさんあります。特に大好きだった飛行機の本は、学校に持っていったら、僕の夢をバカにする子に見つけられて、壁に投げつけられました。本は壊れてしまったけど、図書委員のときに、本の修理の仕方を覚えたので大丈夫。その本は、いまだに、僕のそばにいて、僕にいろんなことを教えてくれます。

でも今は消費の時代です。「安いものを、パッと買って、パッと使って、壊れたら捨てて、新しいものを買う」。

こんなやりかたが普通になっているけれど、それでは大切な宝物は持てないし、愛着もわかないんじゃないかなって思います。

自転車も、本も、そして、心も自信も同じです。どんなにひどい目にあっても、どんなに壊れても、直せます。そして、直したら、愛着がわきます。大好きになります。傷ついてしまった自信を直せば、もっともっと自分を大切に思えるようになります。そして、君の自信は、いくらズタボロになっていても、修理する価値のある尊《とうと》いものです。

「何もないこと」それが君の強み

君は、「自分の現在の値《あたい》」で、自分の未来をあきらめていませんか？

「何も強みがないから、何ができるのかわからない」と思っているかもしれません。

おそらく、受験競争を経験した人たちは、「自分の偏差値で行けそうなところに行け」という進路指導に従ったことでしょう。

大学に行った人も、専門学校に行った人も、高校の卒業が近づき、「どうする？」となったとき、「入れそうなところ」に入ったかもしれません。

大学の何学部にするか、なんの専門学校に行くかを決めるとき、「どれを選んでいいかよくわからないけど、なんとなくよさそう」で、何を勉強するか決めてしまったかもしれません。

そういう人は、やがて、周囲の「本当にその勉強に興味のある人たち」とのギャップに気がついて、自分に劣等感《れっとうかん》を持ってしまうかもしれません。

でも大事なのは、そこは学校だということです。

学校とは、「知らなかったことを知る場所」です。

最初から優秀《ゆうしゅう》で、何もかも知っている人は、せっかく学校に来ても「知らなかったこと」がなくて学べないのですから、損をしています。

「なんにも知らない人」にとってこそ、学校は価値があります。

そして、知らないことを知ることで、間違いなく脳みそは活性化します。

そして、何も知らないからこそ、常識にとらわれない考え方ができます。

学校の先生のなかには、なんでも知っている子をほめる人がいますが、僕は不思議《ふしぎ》です。

「教えるのが楽だからじゃないの？　先生、手抜きじゃないの？」と思います。

学校とは、知識と経験を得て、成長するための場所です。

そのためには、君は何も知らないほうがいい。新しいことを知り、新しいことにチャレンジし、失敗を乗り越え、「もっと前に進もう！」という情熱を増やすことがとても大事です。

先生には、「すでに知っている」「わかる」「できる」という人を、ほめないでほしい。

先生には、「知らない」「わからない」「できない」という人を、ダメなやつだと評価しないでほしい。

君の現在の値なんて、明日にでも変えることができるものです。

知らなかったら、覚えればいいだけです。

わからなかったら、調べればいいだけです。

できなかったら、やればいいだけです。

どうか、「今」の自分の値で、自分をあきらめないで。

君はこれから、まだまだ成長できるのだから。

「何も知らない、何も持たない」というのは、君の最大の強みです。

たとえば僕が大好きなアニメーターに会いたいと思っても、なかなか会ってもらえないでしょう。でも、僕が15歳の少年だったら、会ってもらえる可能性はずっと高い。なぜならば、「何も知らない、何も持たない」という若い感性でしかわからないことがたくさんあり、大人というのはそれを知りたいものだからです。

また、仮《かり》にアニメーターに会えたとして、50歳の僕が「アニメ作りはわからないけど、ただいろいろ聞きたくて」と言ったら、「あなた、何しに来たんです?」と迷惑《めいわく》がられます。

なぜならば、大人同士の場合は、お互いが持っている知識や情報の交換を求めるからです。

でも、15歳の僕が質問するならば、話は全然、違います。

何も知らないから、意外な質問ができる。何も持たないから、クリエイターを刺激《しげき》するようなことが言える。それは若さの圧倒的《あっとうてき》な力です。

「100点の自分」なんていらない

あるとき「大学を辞めてロケットが作りたい」と僕らの工場に来た人がいました。

彼は入っていきなり、もっといいロケットを作るために会社を変え、働きやすい職場を作り、売上も伸ばそうと思っていたようです。いくら小さい工場でも、初めてやってきた20歳の若者が、ドラマの主人公みたいな活躍《かつやく》はできません。彼はその事実に直面し、自信をなくして大学に戻っていきました。

まだ大学生なのに、「100点の自分でなければならない」と思い込んでいたのです。

僕らは彼の、「何もできない、何も知らない」というところに魅《み》力《りょく》を感じていました。

いっぽう彼は「なんでもできる、なんでも知っている」という自分になろうとしていました。

何もできない、何も知らない状態から、会社で学んでもらいたかったのに、残念でした。

いつも100点を目指す教育に彼の自信はゆがめられたのだと感じ、かわいそうでした。


僕は50歳ですが、まだまだできないこと、知らないことがたくさんあります。

100点には程遠《ほどとお》いけれど、それでもいいと思っています。

なぜならば、「世界のすべてを知り尽《つ》くしたら、相当《そうとう》つまんない」と思うからです。

知らないから知りたいし、できないから、できるようになると嬉しいのです。

今は、昔不可能だったことが、どんどんできるようになっている便利な時代です。

でも、君はそんなに急がなくていいと、僕は思います。

「目標」から逃げ出してしまえ

ズタボロに傷ついた君の自信を修理するには、「目標」というものを点検してみましょう。

目標は大事なものだけれど、君はずっと、人からおしつけられた「目標」にさらされ、傷つけられた可能性があるからです。

小学校に入学したとき、多くの子どもは国語も算数も理科も、全部の科目が好きです。

生まれて初めて持つ教科書はお兄ちゃんになったようで気分がいいし、まっさらなノートをひらくのも楽しみなものです。

ところがやがて、嫌いな科目ができてきます。

最初はよくわからないだけなのですが、それをテストされると、いやになってしまいます。

なぜならば、「なんだ、20点じゃないか。もっと頑張りなさい」と先生に言われるから。「お前はダメだ」と決めつけられてしまうからです。

くじけずに頑張って、次のテストが30点になったとしたら、嬉しくなるでしょう。でも先生には、「30点？　満点は100点だぞ。まだまだ」と言われてしまいます。それでもう、決定的にその科目は大嫌いになります。苦手意識の誕生《たんじょう》です。

おまけに、自分が得意で大好きなことが、学校の科目にないと最悪です。

僕の場合、ペーパークラフトが大好きで、いろいろ工夫して高く飛ぶ飛行機、長く飛ぶ飛行機を作れるようになっていきました。でも先生には「そんなことばかりしていないで、勉強しなさい」と言われてしまいました。

「自分はできない」と思うと、自信が減っていきます。

自信がなくなると、自分を信じられなくなり、「自分発」で行動する力が減っていきます。

自分が一生懸命やったことに対して、「余計なことをするな」「そんなことをしても無駄だ」と言われると、君は「何も考えず、何も行動しないほうがいい」と思ってしまうのではないでしょうか。なぜならば、動かなければ失敗せず、叱られないからです。

君が動かなくなると、大人たちはわかりやすい目標を与えて、大人が評価するレールの上を走らせようとします。

「次のテストを頑張れば、ごほうびをあげるよ」

「テストで高い点数をとれば、いい学校に行けて、いい仕事ができるよ」

こんなニセモノの目標をおしつけられると、「自分が何をしたいか」ではなく、「他人からどう思われるか」ばかりが気になるようになってしまいます。

「成績が上がること」以外は無駄だと思い込んだり、成績が上がらないと、「自分はダメだ」と思い込んだりして、自信がますます傷だらけになり、縮こまってしまいます。

わかりやすいように成績の話をしましたが、バリエーションはたくさんあります。

「この試合に勝つのを目標にしよう」とか「この曲が弾けるのを目標にしよう」とか、自分以外の人の評価で決まる目標を見せられ、それに素直に従っていると、自信はどんどんなくなってしまいます。自分では何もできなくなってしまいます。

やりたいことを、自分で決めてやる。それが、君にふさわしい「行動する理由」です。

目標は「自分のためになること」と「人のためになること」で決めたいものです。

まだ目標が見つからないという君も、人におしつけられた目標からは、さっさと逃げ出してしまうことをおすすめします。

「ほめられプレッシャー」から逃げ出してしまえ

「ほめられて伸びるタイプなんです」という人はたくさんいます。

ほめられたら誰でも嬉しいし、人をほめることはとても大切です。

でも、君に自信がなくなってしまった理由は、「ほめられること」を目的として行動するようになったからかもしれません。ちょっと点検してみてください。


人間は「自我」を持っているけれど、自我とはものすごく弱いものです。

なぜならば、「これが自分だ」と思っているのは、自分の思い込みだから。

「これが自分」というのは、実は根拠《こんきょ》がないのです。だから人は常に「大丈夫、これは自分だ」となんとかして確かめたくなります。

自信がある人は自分で自分をほめられるし、自分で自分を認め、確かめることができます。

しかし自信が傷ついている人は、自分で自分をほめたり、認めたり、確かめたりできない。仕方がないので誰かにほめられることで、「自分は必要とされている」という証拠《しょうこ》を手に入れようとします。

残念ながら、誰かにほめられる、というのもあてにならないものです。

必ずほめてくれるわけじゃない。君の一番いいところがほめられるとも限らない。たとえば、君は料理がとても上手で、料理をしていると楽しくて、その料理が食べた人をしあわせにするとびきりの味だとしても、それがほめられるわけではないのです。

それよりは、あまり好きではなく、やっていても苦痛でしかない数学の勉強をして、テストの点が10点あがっただけで、ものすごくほめられる、というケースはよくあります。

それでも、ほめられたら、嬉しい。ほめられたら、もっと頑張ろうと思うでしょう。君はやがて、料理をやめて、勉強ばかりするようになるかもしれない。10点アップでなく20点アップを目指し、もっともっとほめられることを目指して。だけど点数なんて、はかないものです。君が最大限に頑張って30点アップしたとしても、31点アップした誰かは必ずいます。

ほめられることばかりやってきた君は、やがて大人になり、ふと「自分は何が好きだったんだろう」と考えたとき、わからなくなってしまうかもしれません。料理が大好きだったことすら、消えてしまうかもしれません。

「自分はこれが好き、自分はこれに興味がある、自分はこれをしたい」行動のスタートというのは自分発であるはずなのに、「ほめられプレッシャー」に縛《しば》られた人は、ほめてくれる「誰か」のために行動するようになります。そうすると、やりたいことを見失ってしまい、自信が傷つけられてしまうのです。

ＳＮＳの「いいね！」や友だちの数を本気で競っている人。

美容整形を繰り返す女の人や、極端なダイエットをする人、モテ自慢をする人。

「すごいぞ、根性があるな！」とほめられたばかりに、無理をしすぎて身体を壊すまで部活に打ち込んでしまう人。

みんな、根っこは同じです。誰かにほめられたい、認められたいという「ほめられプレッシャー」で、間違った自信を追いかけたばかりに、本当の自信を失っているかもしれません。


君には、「ほめられプレッシャー」から逃げ出してもらいたいです。

ほめられなくてもいいから、本当に自分の好きなことをしてもらいたいです。


学校という閉じられた世界で、受験や勝利という「比べる」価値観で、人生をゆがめてしまわないでください。重要なのは、自分がどう生きるかです。

「普通」から逃げ出してしまえ

「普通はこうだよ」

こんな考え方も君の自信を傷つけている可能性があるので、点検してみましょう。

「普通は大学くらい行くくし、それにはこのくらいの成績がなければダメです」

たとえば君のまわりの大人たちは、こんなふうに言うかもしれません。でも、「普通」という基準《きじゅん》は、この世に存在しません。

なぜならば、僕らの住む世界には、赤ちゃんもいればお年寄りもいるからです。

君はたぶん「普通、階段をかけおりるくらいできるでしょ」と思っているだろうけれど、よちよち歩きの赤ちゃんや、杖《つえ》をついたお年寄りには不可能です。

赤ちゃんも、お年寄りも、僕のようなおじさんも、君のような若い人も、日本の人も、外国の人も、いろんな人がいるのが世の中だから、何が普通かなんて、決められないのです。

「これが普通だ、常識だ」と大声で言う人がいたら、ちょっと疑ったほうがいい気がします。

体力だけじゃなく知識に関しても、赤ちゃんやお年寄りは、君よりは劣《おと》っています。

学校で数学の試験を受けたとします。同じ試験を赤ちゃんやお年寄りに受けさせたら、きっとあまりいい成績にはならないでしょう。

だからといって、赤ちゃんやお年寄りは「ダメな存在」でしょうか？　僕は違うと思います。

この世にダメな人間は存在しません。

なぜならば、ダメかどうかを決める基準は存在しないから。

だから君は、「自分なんかダメだ」と思う必要はまったくありません。

「こんなこともできないの」と言われても、気にする必要はまったくありません。

「普通はこれくらいできるのに、平均点以下だ」と責められても、落ち込むことはありません。

「普通」なんてインチキからは、とっとと逃げてしまいましょう。

逃げたっていいんです。大事なのは、誰かがおしつけてくるインチキの普通にあわせることではなく、君が君らしくあること、君が自信を持って君の人生を生きることです。

「受け流す能力」を身につけよう

そろそろ、君はこう言いたくなるかもしれません。

「逃げろ、逃げろと言っても、どこに逃げればいいんだよ？」と。

僕がおすすめしたいのは、今の場所にいながら逃げること。心だけを、そっと自由な場所に逃がすことです。そのために、君に身につけてほしいのが「受け流す能力」です。

たとえば、親に「普通はみんな大学くらい行く。将来のことを考えて、できるだけ高い目標を持ちなさい」と言われたら、「わかった」と答えておく。

でも、「わかった」というのは嘘でもいいのです。別に「普通＝大学」と思わなくてもいいし、「高い目標＝偏差値アップ」と思わなくていいのです。

受験勉強もまったく無駄ではないです。自分にとって役立つ部分は吸収しましょう。

そして、1日の生活の時間を見直して、無駄な時間を減らして、早寝早起きして、自分の好きなことをやる時間を作りましょう。
真正面からぶつかって「それは違う！」と戦うより、とりあえず言うことを聞いているふりをして受け流したほうが、自分の思いどおりにやれることはたくさんあります。

「受け流す力」は、いろいろな場面で役立ちます。

いやな上司に自分の考えた仕事を否定されて、どう考えても無駄だという仕事を命じられたら、その無駄っぽい仕事のなかでも、自分のやりたかった仕事に活かせる部分が必ずあります。それを見つけることができたら、その仕事は自分にとってプラスになります。

部活で顧問《こもん》の先生に「死ぬ気で優勝しろ！」と言われても、「はい、頑張ります」と答えつつ、「勝たなくても自分なりに楽しむ」という考えのもとで試合に出たっていいのです。

やりたいことを否定されたからといって、あきらめるのは早い。水面下《すいめんか》でこっそり続けているうちに、次のチャンスもできたりします。

君に「目標」や「普通」をおしつける人たち。点数や勝利やほめ言葉を、まるで馬の目の前にニンジンをぶらさげるようにちらつかせて、君を動かそうとする人たち。こういう人たちと真正面からぶつかって納得《なっとく》させる必要はありません。

大切なエネルギーは、そういう面倒《めんどう》くさいことではなく、本当に自分が好きなことをするために使いましょう。

僕は飛行機が大好きですが、世界でも「奇跡的《きせきてき》な飛行機」と言われるものはたいてい、開発時間が異常に短いのです。なぜならば、無名の会社が水面下でこっそり設計し、いきなり作り、ある日突然、展示会で発表したりするからです。

誰かがおしつけてくる人生から逃げ出しましょう。君の人生は君のものです。

そして自分の好きなことをやれば、君の自信は修理され、ぐんぐん回復していくはずです。

「一生懸命の副作用」に気をつけよう

「僕はもう好きなことがあるし、それに打ち込んでいるから、自信もちゃんとあります」

こう言う人のなかには、部活動や習い事に打ち込んでいる人がけっこういます。サッカー、野球、スキー、ダンス、吹奏楽《すいそうがく》などなど。「受験勉強」と答える人もいます。

こういう人は確かに一生懸命に練習や勉強に打ち込んでいるかもしれません。もしも君がその1人なら、自分の毎日を振り返ってみてください。もしも「一生懸命なことしかやっていない」のだとしたら、ちょっとまずいかもしれません。

なぜならば、文句なくいいことに思える「一生懸命」には、実は深刻な副作用があるからです。それは、「自覚症状《じかくしょうじょう》がないまま思考力と自信を奪っていく」というものです。

今に集中し、指示されたことだけを、一生懸命やると、実は何も考えなくてすみます。

「先のことはどうでもいいから、今はこれをやろう」という目の前の目標ができるので、ひたすら勉強したり部活をしたりします。

すると時間はなくなるし、体も頭もくたびれるので、ものをじっくり考えることがなくなり、あっという間に次の日になります。そしてまた、勉強したり部活をしたりして、何も考えることなく、その次の日になります。

自分では「私は今、最高に頑張っている！」と手ごたえを感じているので、何の心配もしません。賞を取ったりすれば達成感《たっせいかん》もあるので、むしろ充実《じゅうじつ》していて楽しいはずです。

しかし、「今」は永遠に続きません。必ず「その先」にたどり着きます。「部活」も「勉強」も、学生の間しか評価されない「限られた」価値です。

そうすると問題は、受験勉強が終わったときや部活を引退するときです。

「今はこれをやろう、という目標がなくなっちゃった。このあとどうしよう？」

こんなふうに、迷子になってしまうのです。

大人であっても、先のことを考えなくてすむ目の前の単純な仕事に一生懸命に打ち込んで、頭を空っぽにしてしまう人がたくさんいます。

部活や受験勉強とは、人に決められたメニューを言われたとおりにこなすことです。

「このトレーニングをやって試合に勝て」

「この参考書とこの参考書を1日5時間やって合格しろ」

こんなふうに誰かに指示を受けたのだとしたら、一生懸命頑張ってはいても、それは与えられた課題をクリアしているだけです。自分の内側から湧き上がった理由で行動しているわけではありません。

人形みたいに他人に操《あやつ》られているのと同じですから、自分というものがなくなり、自信がどんどん減ってしまいます。

逆に言うと、部活や受験勉強であっても、自分で考えて、「これが好きだから、こういう練習をしよう」とか「将来こんな夢があるから、そのための勉強をしよう」というのなら、ときどき立ち止まって考える時間をとっているはずです。なぜならば、自分の意思で行動する場合、ちゃんと考えないと「次に何をするか」を決められないからです。

こういうやりかたであれば、いくら一生懸命になっても副作用は出ません。

君にはどうか、「今だけに集中して何も考えない」というのは、やめてほしいと思います。

考える力を失うと、「その先」が想像できなくなるので、思いやりが消えます。

何も考えず、「今むかついたから」という理由で誰かにひどい言葉を投げつける人は、相手がそれでどんなに傷つくかという「その先」を想像できないということです。

何も考えず「今楽しいから」という理由で無茶な遊びをする人は、自分の心と体がそれでどんなに傷つくかという「その先」を想像できないということです。その先が考えられないと、自分も他人も尊重《そんちょう》できなくなります。

君がいつか自立するために最も重要になるのは、未来を想像する能力です。

一生懸命になっていたら、その一生懸命は誰かに言われたからなのか、自分がやりたいからなのか、立ち止まって考えてみてください。

ひたすら好きなことをやり続けよう

僕の心のなかには子どもの頃からいつも、「僕は僕だもん」があった気がします。

あまり人の目が気にならなかったし、誰かと比べられても気になりませんでした。変わり者だったからかもしれませんが、おそらく、学校に「やれ」と言われる勉強や部活よりも、もっと好きなことがあったからです。

誰かに成績で勝つことよりも、部活で活躍することよりも、「趣味の自転車で速く走れるようになった！」とか、「ずっと苦労していたペーパークラフトの設計がやっとうまくできた！」とか、そういう喜びを知っていたからだと思います。

もちろん、人から認められていたわけではありません。

紙飛行機の設計も、ペーパークラフトの設計も、1回も学校のテストには出ませんでした。

「そんなこと覚えてどうすんの、くだらないことやってないで勉強しなさい」と、どれだけ否定《ひてい》されたかわかりません。

中学校の進路指導の先生に将来について聞かれたとき、「飛行機の仕事の勉強がしたい」と真剣に答えたら、「おまえの成績では無理だ。もっと真面目《まじめ》に考えろ」と言われてしまいました。僕は目の前が真っ暗になりました。

「そうか、もう自分は努力をしても無駄なのか」と思いました。とりあえず、今すぐにできることや、人に評価されることだけをやりそうになりました。

でも結局、僕は好きなことをやめませんでした。

好きで好きで仕方がないから、こっそりと続けました。勉強をするふりをして、たくさんの飛行機の設計図を描きました。

それが今、仕事でたくさん役に立っています。

好きなことをやり続けたおかげで、僕は自信を失わずにすんだのです。

「どうせ無理」

「どうせ自分なんて」

これは困った言葉だと書きましたが、それだけではありません。本当は頑張りたいし、夢もたくさんある人が、「そんな仕事で食っていけるわけないじゃん」とか、「そんなことをして何の意味がある？」と否定されたときに、自分の心を守ろうとして必死で使う、やらない言い訳なのです。

「どうせ自分なんて」

これはとても悲しい言葉ですが、今の僕には、そこに隠《かく》されている、もう1つの意味がわかります。それは、「どうせ」という言葉が出ているうちは、心のなかにはまだ、頑張りたい自分がいるということです。

「ズタボロになった自信を修理するなんて無理」と君は思うかもしれないけれど、実は、君の心は、自信を奪われて苦しい自分の心を守ろうと必死に頑張っている。

だから、どうか自分の大好きなことややってみたいことを大切にしてほしいです。やってみてほしいです。最初は小さいことしかできないけれど、やればやるほど力になります。そしてそれは、やがて、同じことが好きな仲間を見つけるきっかけになります。この世のどこかに、必ず君と同じことを頑張ろうとしている人がいます。君と同じく苦しんでいる人がいます。

仲間が見つかったら、仲間が増えます。そして、君の能力がやがて誰かを助けます。まずは目の前にある、簡単そうな夢から叶えてみましょう。それがズタボロになった君の自信の修理にきっと役立ちます。

第3章

本当の自信の作りかた

自信とは、
できなかったことが
できるように
なったとき、
自分の能力が
増えたことを
感じられたとき、
自然と生まれてくる
「自分を信じる力」だと
思います。

興味と好奇心を復活させよう

「何も指示をしません。自分のやりたいことを、自分の意思で、自由にやりなさい」

そう言われたとき、君はすぐに行動できるでしょうか？

もしできるなら、どんどんしてほしい。誰に何を言われても、実行してほしいと思います。

でも、もしも君がやりたいことがわからなくても、やりたいことを見つけるのは簡単です。

子どもの頃に戻って、「わあすごい」と心をふるわせたら、きっとすぐに見つかります。

それなのに、「感動することが恥ずかしい」という人は、たくさんいます。

「子どもっぽい」と笑われて、心の動きをとめてしまったのかもしれません。

でも、子どもっぽくなって心を動かさなければ、好きなことは見つかりません。「中二病」と人は笑うかもしれませんが、中二病にはかかっておいたほうがいいのです。

笑われるような夢を見てもいい。できもしないことに憧れたっていい。脳みそのなかでは、思い切り自由にふるまいましょう。興味と好奇心を復活させましょう。

僕の友だちは幼稚園の頃、「仮面ライダーになりたい」と言っていました。そんな子はたくさんいます。でも彼は、高校生になっても「仮面ライダーになりたい」と言い続けたので、まわりから馬鹿にされたり、親や先生には叱られたりしていました。「いつまでも子どもみたいなことを言ってるんじゃない。将来を考えろよ」と。

そんな彼は今、「仮面ライダー」のテレビ番組を作っています。大好きな気持ちが力になって、夢を叶えたのです。

同じように、子どもの頃からガンプラが大好きだった知り合いは、中学時代にさんざん笑われていたけれど、今ではバンダイの工場でガンプラの設計をやっています。大好きな気持ちが力になって、夢を叶えたのです。

好きなことを続けたら、すごいことができるのです。

その可能性が、君にはあるのです。

福澤諭吉《ふくざわゆきち》は、英語の「フリーダム（freedom）」という言葉を日本語に訳すときに、その意味を「自《みずか》らを由《よし》とする」、つまり「自らを理由にして行動すること」と解釈《かいしゃく》して「自由」という言葉を作りました。君にも、自分の内側から湧き上がってくる好きなことを理由にして、行動してほしいと願っています。

やったことのないことを、やってみよう

やったことのないことをやることも、自分は何が好きなのか知るためのいい方法です。

それだけではありません。

やったことのないことをやって、できるようになったとき。

これまでできなかったことが、できるようになったとき。

「自分の能力が増えた」と感じられたとき。

自然と生まれてくる「自分を信じる力」こそ、自信なのです。

やったことのないことを、やりたがる人。

ちょっとうまくいかなくても、あきらめないで工夫をする人。

僕はこういう人と一緒に仕事がしたいと思うし、君もきっとそんな人だと思います。

なぜならば、小さかったときの君は、「このボタンを押してみたい人」と言われたら、すぐに手を挙げることができたからです。生まれたときからあきらめかたを知っている人は、この世に1人もいません。あきらめかたを知らず、何にでもなれる可能性を抱えて、光輝いて生まれてきてくれたのが君です。

残念なことに、大きくなるにつれて、誰かが君に、あきらめかたを教え込みました。なぜならば、おとなしく命令《めいれい》に従う人間のほうが、学校にとっては扱《あつか》いやすく、会社にとっては使いやすいからです。

でも、それはもう、過去の話。余計なことを考えずに言われた通りやればいいような仕事は、ロボットのほうが上手にできます。つまり、何も考えずに指示を待っているだけの人は、これからの時代には、ロボットに負けてしまうということです。せっかく自分の意思で動ける君なのです。ロボットに負けるような生き方は、もったいないと思います。

日本にはまた、「1つのことをやり続けることは素晴らしい」という考えかたがあります。

たとえば君がずっとマラソンをやっていて、途中で違うことをやろうとしたら、きっとこう言われると思います。「せっかくマラソンを長く続けてきたのに、もったいないよ」と。

でも、本当の君は、マラソンではなく水泳が向いているかもしれない。マラソンでも水泳でもなく、コンピュータの天才かもしれない。たまたま始めたことがたまたま長く続いているだけで、ぴったり合っているかどうかの判断を誤っている可能性もすごく高いのです。

別にマラソンをやめなくてもいい。やりながら、やったことがないこともやってみれば、可能性はもっと広がります。

やったことのないことをやって、本当の自信を作りましょう。

間違った進路指導に負けないで

小学生の頃から、僕にはやってみたい夢がたくさんありました。

でも、中学生になったら、それはどんどん潰されていきました。

できそうな夢しか許されません。でも、小さい夢だと、そんなの夢じゃない、と言われます。

大きい夢だと、できるわけがないと否定されます。

僕と同じように悩む子はたくさんいました。でも、やがてみんな正解を見つけていきます。

それは「大人が嫌な顔をしない職業や進学」です。

だからみんな、「できそうな職業」と「合格できそうな進路」のなかから夢を選ぶようになりました。ちょっと成績がいい子は、大人が放っておきません。「医学部に行け」と盛り上げます。

だから、医療になんの興味もないのに、医学部に行かされる子もいました。でも、結局、好きではないことは頑張れなくて、学校を途中でやめてしまいました。心も病んでしまいました。

その子は、医者になるために頑張れなかった自分を責めました。その子は自信を奪われてしまったのです。

自分の夢を否定されて、間違った夢をおしつけられると、自信が奪われるだけでなく、健康さえも害してしまうことがあります。

だからこそ、君には、「夢」と「仕事」について、自分の意思でたくさん考えてほしいのです。

本当は、夢と仕事は違います。だから別々に考えたほうがいいです。

夢とは、大好きなことや、やってみたいことです。

何個あってもいいです。大きいも小さいもないです。絶対にしてはならないのは、夢を「職業や進路」に限定することです。もしそんなことをしたら、「自分の大切な人が幸せになりますように」という夢が消えてしまいます。消しちゃダメです。夢は、どんどん叶える努力をすればいいのです。

そして、仕事とは、人の役に立つことです。どんなことでもいいです。何個やってもいいです。お金にならなくてもいいです。

そして、夢と仕事は違うけど、夢が仕事になっちゃうことはあります。

僕がこういう話をすると、たちまち否定する人が現れます。

「夢を仕事にできる人なんて、ほんの一部だ」と。

君が「夢を仕事にする」と宣言したら、周りの大人たちは「夢みたいなことを言っていないで、もっと現実を見なさい」と言うと思います。

でも、夢を仕事にするのは、実はそんなに難しいことではありません。

そのために、もっとも大事な条件は２つあります。

１つは、夢をたくさん持つことです。

もう１つは、夢とお金を結びつけないことです。

夢は１つでなく、たくさん持とう

大人は、職業のなかから夢を選ばせようとすることがあります。君も、「将来なんになりたいの？」と聞かれたことがあるかもしれません。

でも、君が知っている職業は、そんなに多くはないはずです。世の中には、目立たないけれど大切な仕事もたくさんあります。みんな立派な仕事です。

そして、夢を職業から選ばされると、夢は1つに絞らなくちゃ、という気になってしまいます。

「うーん、医者とサッカー選手に同時になれないよな。じゃあ、医者かな」という具合です。これをやってしまうと、考える力がどんどん失われてしまいます。

このやりかたを、ガラリと変えてしまいましょう。職業という「何」が浮かんできたら、なぜ医者なのか、なぜサッカー選手なのか、「なぜならば」を考えてみるのです。

たとえば、「医者になりたい。なぜならば、人の命を救いたいから。サッカー選手にもなりたい。なぜならば、サッカーが大好きでずっとやりたいから」という答えが出てきたとします。

次に、「人の命を救う」「サッカーが大好きでずっとやりたい」という点に注目します。

すると、人の命を救う仕事は、医者だけではないと気づくでしょう。サッカーが大好きでずっとやっているのは、サッカー選手だけではないとわかるでしょう。

それなら、サッカーをやりながら、スポーツ医学を勉強して、サッカーもできるし、サッカーで怪我した人を助けることができる、というのもありです。薬を開発する研究者になって、子どもサッカーのコーチをすることもできます。

つまり、夢を叶える道は無限にあるということです。「人の命を救う」という夢と「サッカーを続ける」という2つの夢は、らくらくと同時に叶うものなのです。

さらに、「人の命を救うとは、病気や怪我をした人を助けることでなければいけないのか？」と考えてみてもいいでしょう。もしかしたら体に限らず、「弱い人」を助けたいのかもしれない。そうであれば、心のケアをする人、人を勇気づけるような本を書く人など、医療《いりょう》関係以外の仕事もたくさんあると思います。

「でも、これってサッカーのプロ選手とは違う」と思うかもしれません。しかし、プロの世界は厳しいから、プロ選手として活躍できる期間は意外と短いです。そして、それしかやってこなかったおかげで、引退してから、何をしていいのかわからなくなってしまう人も少なくありません。でも、ある野球選手だった人は、引退した後も、地域の子どもたちに野球を教え続けました。そのなかから、また、素晴らしい選手も育ったそうです。
どんなスポーツ選手だって、一生で考えたら、プロではない時間のほうが長いのです。もし、プロにこだわらなければ、一生、大好きなスポーツを楽しむことは可能です。

夢はたくさんあったほうがいい。どんどん見つけてほしいです。

君のまわりでは、「しっかり本気で夢を考えるなら、あれもやりたい、これもやりたいなんてありえない。職業は1つ」という思い込みで進路について語る大人が多いかもしれません。でも僕は、その大人のほうが間違っていると思います。もし君が、その思い込みをおしつけられたせいで「夢がない」と感じているなら、そこから逃げ出してください。

夢は1つじゃないんです。心をふるわせれば夢はどんどん見つかります。
「私の夢は、歌手とマンガ家と保育士さんだけど、一番、実現できそうなのは保育士だし、先生や親にも認めてもらえそうだ」
そんな発想で「私の夢は保育士になること」と言い切ってしまい、歌手やマンガ家をあきらめなくったって、いいのです。

「歌手＝歌うことが好き。マンガ家＝絵を描くこと、ストーリーを作ることが好き。保育士＝子どもたちと触《ふ》れ合うこと、成長を見守ること、世話をすることが好き」

こんな感じに「何＝職業」で語っていた夢を「なぜやりたいか」に分解していくのです。それからじっくり考えて、一つ一つを組み立てていきましょう。

同時に両方ができるような組みたてかた、1つのことをやればいろんな要素がふくまれる組みたてかた、いろいろなバリエーションが出てきます。すると、夢がより立体的になっていきます。

夢とお金を切り離そう

夢を持つと、「そんなので食べていけるの？」と心配してくれる人がいます。

だから、最初からたくさんお金をもらえることが確実な仕事しか選べなくなります。

そのため、食べていけなさそうな夢をあきらめてしまう人がたくさんいます。

でも、本当は、

夢とは、大好きなことや、やってみたいこと。

仕事は、人の役に立つこと。

この2つのポイントを押さえておけば、夢はたくさん持てます。夢が仕事になっちゃうこともあります。

夢で食べていこうと思わなければ、たいていの夢はわりと簡単に叶います。

そのためにもとても大切なのは、夢とお金を切り離すことです。

歌が大好きだった僕の同級生は、歌が大好きなパン屋さんと結婚しました。

今は旦那《だんな》さんと一緒にパン屋さんで働き、2人であちこちのローカルコンサートで歌っています。生活費はパンで稼いでいて、パンを作るのも楽しい。歌はアマチュアとはいえ人気が出て、今ではその世界では、すっかり有名になってしまいました。「しあわせだよ」と彼女は言っていましたが、歌という夢をお金とくっつけて考えなかったからでしょう。

「その夢で食べていけるかどうか」を、夢をはかる物差しにしなければ、可能性が広がります。彼女はそのいい例だと僕は思うのです。

君はもしかしたら、「お金持ちになることが夢です」と言うかもしれません。

大人だって「夢は年収1億円！」なんて本気で言っている人がたくさんいます。

でも、それはなんのためか、考えてみましょう。

あるとき「夢はお金持ちです」という中学生に出会ったので、僕は「なんで？」と聞いてみました。すると彼は、「ばあちゃんが病気だから治療費《ちりょうひ》を稼ぎたい」と答えました。

たしかに治療費は必要だと思いますが、病気のおばあちゃんに孫がしてあげられることは、ほかにいっぱいあります。今すぐお見舞いに行く、背中をさする、そんなことでも、おばあちゃんは大喜びするかもしれません。元気になる助けになるかもしれないのです。

「お金だけが唯一《ゆいいつ》の方法」と思うのは、早とちりじゃないかな、と思います。

僕らの会社にアフリカのある国の政府の人が視察に来たとき、こんな話をしました。

「人生の目標が、お金だとどうなるか知っていますか？　勉強も努力も働く必要もなくなって、犯罪だらけになってしまうのですよ」

その人が言うには、「お金」という目標を最短で達成しようとすると、「お金を持っている人から奪うのが一番だ」という結論にいたるそうです。だから若者は勉強も努力もしなくなり、暴力《ぼうりょく》や銃《じゅう》や言葉で、人をおどしたり、だましたりする犯罪者になってしまうそうです。

アフリカの多くの国は今、貧困《ひんこん》と暴力が問題になっています。「お金こそ夢だ」という嘘が広まった結果、教育の価値が失われてしまったとその人は悲しんでいました。

日本でも同じように嘘やごまかしでお金を奪う犯罪が増えています。「食べていくためだからしょうがない」という言葉を大人は当たり前のように使いますが、それを突き詰めたら、犯罪すら許されることになってしまいます。本当にこわいことだと思います。

誰かを喜ばせる夢を見よう

興味と好奇心を復活させ、大好きなこと、やってみたいことをたくさん見つける。

たくさん見つけて「職業」がもし浮かんできたら、「なぜ、それをやりたいのか」を考える。

そうするとたくさんの夢が同時に持てるし、お金と結びつけなければたくさんの夢が同時に叶います。そうやって、好きなことをやっていくと、君はどんどん自信にあふれていきます。

でも、それだけではまだ、足りません。自分が自信を持つだけでは、足りません。

なぜならば、**仕事とは人の役に立つことだからです。誰かを喜ばせることができたり、誰かの役に立つことができたとき、それが仕事になります。**

大好きなことをして自分だけを喜ばせても、君はいつかものたりなくなるでしょう。自分が心を込めてやったことが、誰かの困りごとを解決《かいけつ》したり、誰かの力になったり、誰かを喜ばせたりできたとき、君は1人で喜んでいたときより、もっともっと嬉しくなります。本当の自信が生まれます。

僕は宇宙ロケットを作るのが夢でしたが、1人で飛ばしてもそんなに楽しくありません。仲間や、子どもたちや大人たちが、ロケットによって笑顔になるのが嬉しいのです。

さらに僕らの工場は宇宙ロケットだけでなく、産業廃棄物《さんぎょうはいきぶつ》を処理するためのパワーショベルにつけるマグネットを作っています。廃棄物を再利用するには、種類別に分けるのですが、以前は人間が手作業で鉄くずを拾っていました。とても危険だし時間もかかっていました。

「これは困ったことだ」と僕は気がついたので、巨大な磁石《じしゃく》で簡単に集められる道具を作ってみました。それが今では日本ばかりか世界中で使われています。

僕は、宇宙ロケットを作ったときと同じくらい、嬉しかった。なぜならば、人の役に立つことができたから。危ない思いをして働いていたおばちゃんたちが、笑顔になったからです。

これも僕の仕事だし、叶えた夢です。それで僕は自信をつけることもできました。

君にも、困っている誰か、不便だと思っている誰かのことを考えてみてほしい。

人の役に立つことを工夫し、できなかったことができるようになってほしい。

そうすれば君の夢はもっと大きくなるし、君のほんものの自信は、ぴかぴかに輝くはずです。

第4章

君の
最高の味方は、
君自身

「みんながこうしているから」とか
「みんなからどう思われるか」ではなく、
「自分がこうしたいから」とか
「自分がこう思うから」が、
原動力になったほうがいいと思います。
たとえ何百人友だちがいても、
君の最高の味方は、君自身です。

真っ先に、自分を納得させよう

ときどき、「まわりの人が自分のことをわかってくれない。夢についても理解してもらえない」と言って、最初の一歩が踏み出せない人がいます。

君がもしもそうなら、それはまわりの人への説得《せっとく》がうまくいっていないからです。なぜ説得がうまくいっていないかといえば、その理由は、君が君を説得できていないからだと思います。自分自身が納得できていなければ、決して最初の一歩は踏み出せません。

人を説得する前にやらなきゃならないことは、自分を説得することです。

何かを始めるには、真っ先に自分を納得させなければなりません。自分自身が本当に信じきれていることなら、きっと他人も信じてくれます。

自分を納得させるためには、よく考えること。そして本当に小さいことから試して、実績を作っていくことです。そうやって、自分を納得させていきましょう。

もちろん、何かをしていくうえでは、まわりの人に応援されたほうがいい。

でも、まわりの人の応援がなければ、何もできないわけではありません。

君が本当に納得して、自信を持っていれば、最初はたった1人でも何かを始めることができます。その「始めた何か」を続けていくうちに、君の納得は深くなり、自信は大きくなり、それにつれて応援してくれる人が増えていきます。

もしも君に、とっても素晴らしい味方が大勢いたとしても、君の最高の味方は君自身です。

もしも君に、たった1人の味方もいなくても、君には君自身という最高の味方がいるから、大丈夫です。

いい学歴も「頑張ります！」もいらない

夢に向かって、いったいどんな行動をすればいいのでしょうか。よくある「間違ったパターン」は、いい大学に行こうとすることです。

「夢を叶えるためにどんな行動をとればいいか？」と考え、「それには、いい大学に行かないと」と手っ取り早い結論を出し、いきなり「頑張って勉強します！」と燃えてしまう。するとまわりの大人は「おお、やっとやる気を出したか」とほめてくれるかもしれませんが、実はたいていの場合、間違いです。

なぜならば、いい大学に行くことが役に立つ夢は、そんなにたくさんありません。学歴が有効な部門もあるけれど、関係ない部門のほうが多くあります。

たとえば、僕らの会社は学歴を問いません。ロケットを作ることは、ほぼ学歴に関係ないからです。音楽も、文章も、何かを「作る」にまつわる仕事に、たいてい学歴は関係ありません。

僕が思うに、学歴とは資格の一種です。資格を必要とする仕事は「安定したサービス」を安定して供給《きょうきゅう》する仕事が多く、そこには個性は必要とされません。

自動車の運転免許と同じで、ルールを守り、決まり通りにやれるという「免許」をもらうのが、学歴を含めた資格なのです。

これまでの時代は、ルールを守り、決まり通りにやることが大切な仕事がたくさんありました。だから学歴が役に立っていました。でも君が生きていくこれからの時代、それらはロボットの仕事となり、人間がやる必要はありません。


僕の話を聞いて、「自分も、どうせとか言わないで、夢を叶えようと思いました」と言ってくれる中学生や高校生は多くて、それはとても嬉しいのです。

けれどもその子たちが、「夢を叶えるために、とりあえず部活と勉強を頑張ります！」と付け足してくると、僕はとても悲しくなります。なぜならば、頑張ることは尊いけれど、部活と勉強以外のことのなかにも、世の中には大切なことがたくさんあるからです。土日も関係なく部活をするのではなく、学校以外の場所で社会と関わる時間を作ってほしいです。

新しいことを始めようとするとき、頑張ることは大

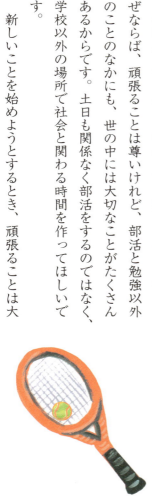

切です。でも、何を頑張るかは、ちょっと立ち止まって考えてみてください。目の前にある、誰かが示してくれた手段に飛びつかないでください。

じっとしていないで行動するのは大切だけれど、何に向かって頑張るかは、ちゃんと考えてほしいと思います。なぜならば、自信とは君の意思なのですから。

「いきなり本番」ではなく小さく試す

「私の夢は、今までになかったようなおいしいお菓子を作り、食べた人をしあわせにすることです。だから高校を中退してパリに行って、パティシエの修業をします」

もし君が、こんなふうに明確《めいかく》に夢と仕事を結びつけて行動しようとしていたら、僕は応援します。ただし、もう少し歩幅《ほはば》を小さくしたほうがいいんじゃないかと思います。

「今までになかったようなおいしいお菓子を作り、人をしあわせにする」には、今すぐ学校を中退してパリに行くしか道はないのか、考えてみましょう。

パリの名門のお菓子屋さんで教えてくれるのは、伝統的《でんとうてき》なフランス菓子の作りかたで、今までになかったようなおいしいお菓子の作りかたではない可能性もあります。

名門店は大きくて人がたくさんいるので分業化が進んでいて、「クリームを泡立てるだけ」とか「フルーツを切るだけ」とか、ずっと同じことを繰り返す日々かもしれません。

また、今までになかったようなおいしいお菓子は、君の家の台所でも作れます。

さらに、食べた人をしあわせにできるかどうか試すには、パリに行かなければ無理というわけでもありません。家族やまわりの友だちに食べてもらって試すこともできるのです。

「僕の夢は起業して自分でビジネスをすることです。だから会社を辞めます」

こういう人も同じです。まずは仕事をしながら、土日に自分のやりたい仕事を試してみるのがいいのではないでしょうか。給料と生活を確保し、働きながら得られる人脈《じんみゃく》をフル活用していろいろ試せば、成功する確率《かくりつ》は高くなります。

どんなスポーツだって、最初からいきなり決勝戦には出ないでしょう。

エベレストを目指して登山を始めるからといって、生まれて初めて登る山として、エベレストを選ぶのはむちゃくちゃな話です。近所の手頃な山から始めて、ちょっとずつ、山登りの道具をそろえ、能力を向上させ、「あの山もこの山も登れたから大丈夫《だいじょうぶ》！」と自分を納得させて自信をつけていくのです。

人生も、まったく同じだと思います。**まずは小さく試してみましょう。**

「すぐできること」を紙に書いてみる

夢を小さく試すには、すぐにできることを紙に書き出してみましょう。

たとえば君の夢が、「未知の世界に挑戦して、人間の可能性をひろげたいから宇宙飛行士になりたい」というものだったとして、いきなり宇宙には行けません。

そこでこんなふうにメモを作っていくのです。

◉宇宙飛行士の書いた本を読む
◉『宇宙兄弟』や『栄光なき天才たち』のコミックを読み返す

◉NASAに見学に行く
◉宇宙ロケットを作っている工場を見学する

紙に書くと頭で考えていたときよりリアルになるので「NASAに行くにはヒューストンまでの飛行機代が高すぎるな。その前に、筑波《つくば》宇宙センターに行くか」と、より実行しやすいことが見つかります。

僕も何か新しいプランを考え、何かをやろうとするとき、紙を使います。頭のなかでは「うまくいきそうだ!」と思っていますが、紙に書いてみると「あれ、抜け落ちていることがいっぱいある」と気がつくのです。

たとえば、「筑波宇宙センターに夏休みに行こうと思ったけれど、予約しないとダメだな」といった事務的なことから、もっと大切なことまで、紙に書いてみるとはっきりしてきます。

メモをもとに行動してみると、さらにいろいろな情報が集まってきます。たとえば、宇宙飛行士の書いた本を読むと、宇宙飛行士には体力と精神力が必要だとわかります。

そこでわかったことを付け足します。

◉筋トレをする（腹筋《ふっきん》と背筋《はいきん》を毎日50回）
◉心肺機能《しんぱいきのう》を強めるために毎日1時間走る
◉心を強くするためには何をすればいいか、考えたり調べたりする

こうしてどんどん調べたり、行動したりしていくうちに、知識が増えていきます。1人の宇宙飛行士のために数百人が働いていることがわかるかもしれません。「地《ち》上管制《じょうかんせい》の仕事って大切なんだな。そういう人に助けてもらうんだから、こっちも応援しないとな」とか、「ロケットを作るのも面白そうだな。実はこっちのほうが好きかもしれない」という気づきが無数に生まれます。

メモを書いただけではなく、やってみて自分がどう変わったか、結果も書きましょう。

たとえば筋トレやランニングを毎日、決めた通りに実行できたかどうか。それによ

って、筋肉量がどれだけ増えたかどうか。今はラッキーな時代で、普通に売っている体重計でもいろいろなことを測定できます。

数字のように客観的《きゃっかんてき》なデータを使って結果を確認し、それを記録していくと、より深く自分を納得させることができます。グラフにすると変化がわかってはげみになります。

「宇宙飛行士になるために、腹筋の回数を記録する」というと、たった1人で地味なことをやっているように見えます。しかし、確実に行動していますし、確実に前進しています。

紙という客観的なパートナーによって、君の自信は強くなっていくでしょう。

不安なことを紙に書いてみる

君が第一歩を踏み出せないのは、「なんとなく不安」という場合も多いと思います。

何が不安なのかもわからないけれど、もやもやする。ありとあらゆる可能性がわいてきて、ぐるぐるしちゃうというパターンです。

そんなときも、紙に書くといいと思います。

紙に書いてみれば問題が分析できて、悩みが解決するかもしれません。解決しなくても、どんなことが一番ひっかかっているのかはわかります。そうすると、どう対処すればいいかも見えてきます。

人の不安や恐怖は、「よくわからないこと」から生まれます。

「あそこに何か変なものがある」と思ったとき、確かめないとこわいままで終わるけれど、確かめてみれば「なんだ、葉っぱか」と安心します。本当にこわいおばけだったとしても、確かめれば逃げ出せます。

やりかたは単純です。今の気持ちをまず紙に書いてみて、その下に線を引いて、「なんでそう思っているんだろう？」と考えて出てきた答えを書き足します。

その答えについても、その下に線を引いて、「なんでそう思っているんだろう？」と考えて、出てきた答えを書き足します。

そうすると「これとこれは言いかたが違うだけで同じことだ」ということがたくさん出てきます。その片方を消します。それを繰り返して最後に残るのが、本質的な不安の原因だということです。

紙を使うというやりかたは不安だけでなく、夢や好きでやりたいことにも応用できます。恋愛だってカバーしていて、僕もその昔、「あの子のことが好きだ」と思ったときに、紙に書いて分析していました。

「好き」とまず書いてみて、その下に線を引いて、「なんでそう思っているんだろう？」と考えて、出てきた答えを書き足します。

「かわいいから」「やさしいから」など、たくさん出てきます。

そうしたらまた線を引いて「なぜ、かわいいと思ったんだろう？」「なぜ、やさしいと思ったんだろう？」と考えて、出てきた答えを書き足します。

すると「目がきれい」「鼻がかわいい」「声もいい」などとかわいい理由はたくさん出てくるのに、やさしい理由が「あのとき『おはよう』と声をかけてくれた」だけだったりします。

ひたすら書きに書いて、全部分析していくと、最後には「クラスでもかわいいと評《ひょう》判《ばん》の彼女と仲良くなれたら、僕はスゲエと言われる。クラスでのポイントが上がる」

ということに自分の本心があったという、残念な結論《けつろん》にたどり着くこともありました。

夢についても同じようにやってみると、さまざまな発見があります。

不安でも悩みでも夢でも、何かの理由を書いて自分で分析していくには、言葉をいっぱい持っていたほうがいいのです。それには本を読むことも役に立ちます。

読書をたくさんして自分の持っている言葉を増やし、自分で自分のカウンセラーになってみるといいと思います。

最悪を見つめると新しいプランができる

何かを始めるなら、うまくいくことをイメージしろとよく言われます。ポジティブ思考がいい、というわけです。でも、僕はちょっと違う考えかたをしています。

「マイナス思考とか、ネガティブシンキングはすごくいいもんだよ」

僕はいつもそう話しています。なぜならば、物事の暗い面に注目する人は、改善《かいぜん》しなくてはいけない悪いところや、消しておきたい不安材料を見つけられるからです。

もしも君がマイナス思考だとしたら、それはほかの人が見落としている穴を見つける能力があるということ。せっかくの貴重《きちょう》な力だから、大切にしましょう。

「暗いこと、悪いことを想像してじっとしていろ」というわけではありません。穴を見つけたら、そこを避けて歩けばいいのです。

僕自身もかなりのマイナス思考です。

いつも最悪の事態《じたい》を想像し、びくびくし、本当にその不安が現実になったときのために準備をしています。最悪事態をイメージして、「それでも大丈夫だ」という自信さえあれば、何があっても大丈夫だし、強くなれる気がしています。

たとえば僕らの会社は、2008年にアメリカで起きたリーマン・ショックという経済危機の影響《えいきょう》で売上がガくんと落ちました。それ以前の売上をもとに作っていたプランAが、みるみるうちに崩《くず》れていきました。

とうとう月の半分まで売上が下がったときに、僕は「これから半年は売上ゼロだ」という最低最悪の事態を考えました。そのうえで、売上ゼロでもやっていけるプランBを練ったのです。

次に、会社にある現金をかき集めて銀行に行き、「まだこれだけお金があるから、こういう事業計画でなんとかやっていきます。だから、ゼロになったらお金を貸してください」と、プランBを見せながら、あらかじめ予告をしました。

なぜならば、最低最悪になってから借金を頼むよりも、そこまでいっていないうちに銀行に伝えておいたほうが、いざというときに借りやすいし、信用してもらえると思ったからです。

現実は売上ゼロにならなかったので、借金も倒産もせずにすみました。そして銀行からの信用もあがったのです。

ゼロという最低最悪を想定していたから、売上が下がってきついときも耐《た》えられました。

「いざとなったらプランBがある」と思うことができました。

君も最低最悪を考えて、プランBを作ってみましょう。

たとえば「第一志望の学校に受かる」というのが君のプランAなら、それがダメだったときどうなるか考えてみるのです。

「第一志望に落ちたら終わりだ」と思っているかもしれませんが、落ちても君の人生は消えたりはしません。すると、「第二志望の学校に入る」というプランBが出てくるので、どんな状況か紙に書いてみましょう。

「この学校のそばには、こんな施設《しせつ》がある」

「この学校にはこんなカリキュラムがある」

「この学校に行くなら、こんなことをやってみたい」

いろいろ調べているうちに、「あれ、プランBも実はいいかもしれない。いや、むしろAよりBのほうが向いているかも」と思う可能性もあります。

さらに突き詰めて、「すべての高校に落ちた場合」という最低最悪を設定し、プランCを考えることもできます。

「え、中学卒業ですぐ就職する？　そんなの無理」と思うかもしれませんが、日本の法律上、中卒で就職することは何の問題もありません。そこで「中学を出てすぐにできる仕事って、どんなのがあるんだろう」「15歳で取れる資格は？」と調べてみると、想像もしていなかったいろいろなことに気がついたりします。

「中卒で働くのも楽しいかも」

「日本の学校じゃなくて外国の学校に行くのもあり？」

考えていくと、最低最悪への不安が、たくさんのプランニングに変わっていきます。

絶対ダメだといってもうまくいくことはあります。奇跡が起きることもあります。

しかし、奇跡とは頑張った結果に起きるもので、最初から想定していても起こりません。

失敗はラッキーの始まり

君はこれまで、失敗をしたことがたくさんあると思います。

いやな思い出かもしれません。「まったくバカなことをして！」と叱られたかもしれません。

しかし、失敗した君はラッキー。**失敗とは、ラッキーの始まりです。**

僕もたくさんの失敗をしてきました。

たとえば、僕らのロケットエンジンは最初の頃、すごい爆発をしました。大失敗です。

なぜならば、生まれて初めてロケットエンジンを作ったからです。やったことがないことをやると失敗するのです。

君も、生まれて初めて補助《ほじょ》なし自転車に乗ったとき、転んだのではないでしょうか。

初めて外国の人に話しかけられたとき、答えられなかったのではないでしょうか。

人間がやることはすべて、最初は「やったことがないこと」です。歩くこと、話すこと、トイレに行くこと、最初はすべて失敗しています。

歩く、話す、トイレに行くという挑戦はとても小さな頃に行われ、失敗しても当たり前とされているので、君はあまり「失敗した」という実感がないかもしれません。

でも、ごく最近「ああ、失敗した」という苦い思いをしたならば、君はすごい人です。

なぜならば「やったことがないことに挑戦した」という、あかしだからです。


君はこれからも、失敗しまくるでしょう。ものすごくいいことです。

なぜならば、チャレンジを続けている証拠だからです。

なぜならば、失敗はダメなことでも恥ずかしいことでもないからです。

なぜならば、失敗を乗り越えたら君に力がつくからです。

失敗は君を強くたくましくし、君に自信をつけ、君をやさしくします。失敗する自分を認められる人は、人の失敗も受け入れられるし、失敗した誰かを助けることもできるでしょう。


だから君には、失敗を避《さ》けないでほしい。失敗をして、それを乗り越えてほしい。「そんなことやって、失敗したらどうするの？」という言葉に負けないでほしいのです。なぜならば、これは実は、何も考えていない人の意見だからです。「絶対に失敗しない」という人は、この世界にはいないのですから。

君が失敗したとき、「そんなことやめとけ、と言ったじゃないか！」という言葉は、何の助けにもなりません。たしかに挑戦しなければ失敗しませんが、そこには何の成長もないからです。

君の味方は、「失敗しないように、挑戦なんかやめとけ」という人ではありません。君の味方は、無責任に応援して、失敗したらそっぽを向く人でもありません。

挑戦を応援するけれど、「でも失敗したときにどうすればいいのか、一緒に考えておこう」と言ってくれる人です。

君のまわりにそんな人がいるように、願っていますが、もしもいなくても、君の最高の味方は君自身です。最悪を想定し、「失敗したときにどうすればいいのか」というプランBをあらかじめ持っておけば、失敗がこわくなくなります。

失敗は成功へのデータとして使う

失敗というのは、完全に結果が出る前にちょろりと姿を見せるものです。

やっていて「ああ、ダメそうだ」と自分で気づくものです。

でも、たいていの人はそこで立ち止まったりしません。引き返すことも、やりかたを変えることもせず、そのまま突き進みます。

なぜならば、自分が今まで努力してきたことが間違っていたと認めたくないからです。ずっと同じことをやっているほうが楽だからです。

でも本当は、「自分が考えていたこと、自分がやってきたことは間違っている」と気づくのは大切なことです。「間違っている」という新しい情報が手に入ったのですから、修正することもできます。間違っている事実を喜んで受け入れたほうが、最終的にうまくいきます。


どんなに準備しても失敗してしまうことはあります。

そのときは、失敗に罰《ばつ》を与えてはいけません。

なぜならば、君が「失敗はいやだ」と極端に恐れるようになったのは、罰が原因だからです。

失敗したときのことを思い出してください。誰かに罰を与えられたはずです。

「余計なことをして、バカな子だ」

「なんでこんなこともできないの？」

君は、ぶたれたかもしれない。ぶたれなくても、頭ごなしに叱られたら、心をぶたれたのとおなじです。

罰に傷つけられた君は失敗を恐れるようになり、挑戦に尻込《しりご》みするようになり、「何も考えずに言うことを聞いていたほうが楽だ」と思うようになってしまったのです。恥をかくのがこわくて、何もしなくなる。これはものすごく恐ろしいことです。

だからこそ、君は失敗した自分を責めてはいけません。

失敗した自分に、自分で罰を与えてはいけません。

失敗したときは、感情的になってはいけません。「俺のバカ、アホ、間抜け、人間失格」とののしる心の声は無視して、冷静なデータ分析係になるといいのです。

僕は漫画が大好きで、新しいものも古いものも読みますが、さいとう・たかをさんの『ゴルゴ13《サーティーン》』は古典的でありながら、今も連載《れんさい》が続く名作です。主人公は天才スナイパー、デューク東郷《とうごう》。狙《ねら》ったターゲットは絶対に仕留《しと》める「失敗しない男」です。

そのデューク東郷でさえ、新しい銃を手に入れたときは、試し撃《う》ちをします。まず撃ってみて、真ん中に当てられないという失敗をして、どれだけ照準《しょうじゅん》からずれているかを確認し、当たるように銃を調整していくのです。

僕はゲームも大好きで、最近は『艦隊《かんたい》これくしょん－艦これ－』にはまっているのですが、それで知ったことは、大砲もまず撃って失敗することが大切だということ。

敵に命中させたいときは、1発目の大砲はわざと遠くに撃ちます。それで遠くに飛びすぎて敵を飛び越えてしまったら、そこから調整して2発目はわざと手前に撃ちます。こうして敵を挟む形で落ちた1発目と2発目の間が「夾叉《きょうさ》」という的になります。そこで夾叉に向かって3発目を打てば、命中するのです。

このように、一発勝負で成功するというのは、漫画やゲームの世界でもない話なのに、君や僕にできるはずがありません。だから試しにやってみて、失敗して、それを成功のためのデータとして使えばいいのです。

失敗したら自分を責め立てたりせず、「どこが悪かったたか」を冷静《れいせい》に調査《ちょうさ》しましょう。そのデータを取っておいて、次の挑戦に使いましょう。

「楽」と「楽しい」は違う

君はいい仕事とは、どんな仕事だと思いますか？

僕が若くて同じ疑問《ぎもん》を抱《いだ》いていた頃、まわりの大人が教えてくれました。

「安定していて、楽にお金をもらえるのがいい仕事だよ。それには大きい会社がいいよ」

僕は納得できませんでした。「勉強して能力をつけなさい」と言われるのに、安定していて楽な仕事だったら、せっかく身につけた能力を使う場面がありません。

「矛盾《むじゅん》にもほどがあるだろう？」と思いました。

楽なことはいいことだ、と君も思っているかもしれませんが、それは本当でしょうか。

安定していて、失敗もない人生は、楽しいでしょうか？

たしかに楽かもしれませんが、ちっとも楽しくないと僕は思います。

ものすごく簡単で、居眠《いねむ》りしながらでもできるようなゲームを、永遠に繰り返しクリアし続けたら、楽ですがつまらない。それが仕事だったとしたら、心がおかしくなってしまうくらいのストレスになります。

君の能力も自信も、失敗や成功という経験で身についていきます。

安定して楽なことはただの繰り返しです。何の経験にもならないから、能力も自信も身につきません。

そうするとだんだん、何もできない人になり、誰からも必要とされなくなってしまいます。

せっかく生まれてきたのに、あまりにももったいないです。

人生は1回しかないのですから。

君には、苦しいことも失敗も経験してもらいたい。

失敗のその先にある成功の喜びを味わってもらいたい。

困難《こんなん》をくぐり抜けたときに手に入る自信を、しっかりと握《にぎ》りしめてもらいたい。

失敗をいくらしても、だいじょうぶ。君には君という、最高の味方がいるから。

第5章

そんな友だち なんか、君にはいらない

イヤな人間に言われた
イヤな言葉で、
イヤな人間が望むとおりの
自分になってしまうなんて、
くやしすぎます。
だから君には、
くじけないでいてほしい。
「お前なんて！」
「お前なんかに！」
という言葉に。

自信を奪う人たちに負けないために

「のび太のくせに生意気《なまいき》だぞ！」

君も聞いたことがあるでしょう。『ドラえもん』のなかの有名なセリフです。

このセリフで、僕は今もちょっと身がすくみます。中学時代の記憶とリンクするからです。

僕は片方の目が極端《きょくたん》に悪いので、遠近感がなく、球技がまるでダメです。だから団体競技がとても苦手で、みんなの足を引っ張る迷惑な存在でした。

これはものすごいコンプレックスでした。

体育の授業でチームを作るとき、みんなが僕を避けます。くじ引きで僕と同じチームだとわかった瞬間《しゅんかん》、「最悪。植松と同じチームだ。こりゃダメだ」と聞こえるように言われたことも数え切れないほどあります。

球技は勝負だから、「負ける」原因の僕は「使えないやつ」のレッテルを貼られました。

球技のときには、誰からも、必要とされなかったのです。いらない、と思われたのです。

「おまえなんかに、できるはずがない」と。

勉強もできるほうではなかったから、先生にも容赦《ようしゃ》なく、この言葉を浴びせられました。

「飛行機を作る人になる？　おまえなんかに、できるはずがない」と。

僕が大きな夢を見るなんて、「植松のくせに生意気だぞ！」というわけです。

僕が何かをうまくやると、「植松のくせに生意気だぞ！」と言われるのです。

これは結構つらい経験でした。

幸い、僕には自転車という好きなことがあり、軽く良く走るよう、自分で改良しました。

学校に自転車部はなかったから、僕は1人で勝手に走りました。

やがて僕の足腰《あしこし》には筋肉がつき、短距離走《たんきょりそう》が速くなりました。そうしたら体育の時間でも、活躍《かつやく》できるチャンスが増えました。

自転車のおかげで身についた、体力、メカの知識はやがて、僕の自信になっていきました。

やがて僕をいじめる人たちとの縁《えん》が切れていきました。彼らはまだクラスメートだったけれど、「おまえなんかに」と言われても、僕はちっとも気にならなくなったのです。

君のまわりには、いないでしょうか？

「おまえなんて！」「おまえのくせに」と、君の自信を奪う人が。

こういう人は、自分以下の存在を作りたい人です。

自分以下の存在を作ることで、自分の自信を支えようとする心の弱い人たちです。

こんな言葉を使う人は最低で、子どもっぽくて、くだらないと君もわかっているでしょう。

それでも集団でやられると、傷ついてしまうから、つい、こう思いそうになります。

「自分なんかに……」

これは、とてももったいないことです。

君は価値ある人だから。「自分なんか」とあきらめてしまっていい存在ではないから。

だから君には、自信をつけてほしいのです。

「おまえなんか」という言葉が気にならなくなる自信をつけてほしいのです。

「のび太のくせに」という言葉をはじき返す自信をつけてほしいのです。

自信を奪う人に負けないために、僕の自転車のような「自信を増やす工夫」も大事です。自分の好きなことで、やったことがないことに挑むのは効果的だと思います。

同時に、君の害になる相手とは、距離を置くことも大事です。

嫌な相手と無理やりうまくやろうと、媚《こ》びへつらう必要はない。なぜならば、君の自信を傷つけるような友だちなんか、君にはいらないからです。

君に協調性《きょうちょうせい》なんかいらない

君も、こんな場面を目にしたことがあるかもしれません。

それは最初、1人のからかいや冗談《じょうだん》から始まります。からかうほうも、からかわれたほうも、笑っています。1対1でふざけている感じです。

それがやがて、何人かが集まって1人をからかうようになります。数人対1人となり、からかわれているほうは戸惑《とまど》いますが、まだいちおう笑っています。

それはだんだん、エスカレートしていきます。大勢《おおぜい》が笑ってからかいます。つついたりするだけだったのが、強く叩《たた》いたり、殴《なぐ》ったりになります。大勢対1人です。

やられるほうは傷つき、痛《いた》がり、「やめて」と頼みます。頼めば収まるどころか、もっと攻撃されます。笑われます。無視もされます。ターゲットの誕生です。

ターゲットになった子は毎日、休み時間も授業中でも攻撃されます。その子が前に出てしゃべったりすると、誰かが悪口やからかいの言葉を投げつけます。すると大勢の人がクスクス笑います。

なぜならば、その頃には、一緒に笑わないと責められてしまう空気になっているから。

一緒に笑わないと、「何かっこつけてんの？　あいつの仲間？」と言われるからです。

やがてみんなが、「場をしらけさせないために」「雰囲気《ふんいき》を保つために」、集団で1人をからかい、笑うようになります。「ノリが悪い」と言われたくなくて、いじめるようになります。

ターゲットになった子がどんなに傷つくか、考えなくなります。ターゲットになった子が、どんなに悲しいか、想像することもできなくなります。

その場のノリ、盛り上がりはこわいことです。いじめは1人の悪い子が原因である場合より、集団が原因ということが多い気がします。

「みんながやっているから、自分もやらなくちゃ」という行動に、僕は危険性を感じます。

「みんなと仲良くやろう、協調性は大切だ」と言われますが、それはときとして同じでなければ許されない「同調圧力《どうちょうあつりょく》」となってしまうかもしれません。

いじめに限ったことではありません。

同じ意見でなければ仲良くできない、それは本当の友だちではありません。

同じ行動をとらなければ仲良くできない、それは本当の友だちではありません。

波風は立っていい。いろいろな人がいて、いろいろな意見があっていい。なぜならば、波風が立たない水は、いつか淀《よど》んで腐《くさ》ってしまうのですから。

一人一人が独立していても、必要なときには協力しあえる。君にはそういう人になってほしいし、そういう友だちを作ってほしい。

だから君には、意味もなく雰囲気から生まれる協調性なんかいらないのです。

ノリだけの応援に乗せられてはいけない

僕は中学生や高校生に、空を飛ぼうとした人類の歴史について話すことがあります。

ライト兄弟が飛行機を発明して初飛行に成功する前も、「空を飛びたい」と夢を抱き、夢に向かって努力した人はいっぱいいました。

フランツ・ライヒェルトという仕立て屋さんもその1人で、自分でパラシュートのようにぱっと開くコートを作りました。

それを着て、彼はエッフェル塔から飛びおりました。残念ながらコートは開かず、彼は地面に叩きつけられて死んでしまいました。

もう100年以上前のことですが、その様子を取材した写真が残っており、飛行直前の彼のまわりには大勢の人が集まっています。

たぶんみんな、「頑張れフランツ！　君ならできる！」と言っていたでしょう。

できるかどうか深く考えていない人も、できるという根拠がない人も、盛り上がっているからとりあえず応援したでしょう。

もしかすると、フランツさんは直前になって「やっぱり無理だ。やめたい」と思ったかもしれません。それでもあまりに大勢の人に応援されたから、引っ込みがつかなくなって飛んでしまったのかもしれないと僕は思うのです。


人にはげましてもらえば、嬉しいです。

応援されると、勇気づけられた気がします。

君も、そんな人がほしいかもしれないし、もういるかもしれません。

でも、その人たちが全員、本気で君の味方かどうかはわかりません。ただノリで応援し、根拠もないのに軽い気持ちで「頑張れ！　君ならできる」と言っているだけかもしれません。


大事なのは自分の考えだし、自分の人生だし、自分の命です。

君にはどうか、無責任な応援を頼りに、ノリで何かをやらないでほしいと思います。

君にアドバイスなんかいらない

君が何かをしようとするとき、誰かに相談するでしょうか?

自信をつけるためには、やったことのないことにチャレンジすることが大切だから、君は誰かに「どうしたらいいかな」と相談したくなるかもしれません。

それが夢や進路にかかわることなら、なおさら、人の意見が聞きたくなるでしょう。


僕にも子どもがいて、子どもたちに相談されることがあります。

それについて自分が何か知っていたら、僕は子どもに情報を伝えます。

わからないこともたくさんあるから、「それについてはお父さんにはわからない。誰かに聞いてみるか、自分で調べたら? お父さんも調べてみるけどさ」と正直に言います。

そしてこう付け加えます。

「誰かに聞くのはいいけれど、否定や禁止はアドバイスじゃないからね。もしアドバイスされたとき、それが否定や禁止だったら無視していいよ」と。

なぜならば、「何をするか・しないか」を決めるのは、本人だから。

情報は得たほうがいいけれど、情報を鵜呑《うの》みにせず、最後は自分で判断するべきだと思うからです。アドバイスによって「何をするか・しないか」を決めていたら、自分の意思がなくなり、自信は奪われてしまいます。

わからないことを「わからない」、知らないことを「知らない」というのが苦手な人はたくさんいます。暗記型の勉強をしてきて、「知っていることが正義だ」と思い込んでいるから、答えられないことが恥ずかしいのです。

そんな大人は、自分の知らないことやわからないことについて、子どもから「やってみたいんだけど」と相談されたら、「そんなのやめておきなさい」と否定します。

否定するだけでなくアドバイスと称して、「できない理由」を並べる大人もたくさんおり、学校の先生にもそういう人が多いのは残念なことです。

「あなたのためを思って言うんだけれど、そんなのやめなさい」

「そんなの良くないよ。そんなことするなんて心配だよ」

こんなアドバイスを誰かが言ってきたら、スルーしてしまいましょう。

大人でも友だちでも、君のチャレンジを邪魔する意見は、君に必要のない情報です。

君に「おしつけの愛」はいらない

君には彼氏・彼女はいるでしょうか。それはやさしい人でしょうか。

男子も女子も、「理想の恋人はやさしい人」だと言うし、僕たちは好きな人にはやさしくしたくなるものです。

僕にも昔、大学時代につき合いだした彼女がいて、社会人になってからも続いていました。遠距離恋愛だったからあまりデートもできず、大事なのは電話でした。

その頃はスマホもメールもガラケーもなく、電話料金はとても高いものでした。

さらに僕は会社の寮《りょう》に入っていたから、電話ボックスで1分しゃべると100円です。

お金もあまりないから、週に1回だけ時間を決めて電話をしていました。携帯電話がないと外出中は電話が受けられませんから、彼女はその時間、家で僕の電話を待っていてくれました。それが僕たちのいわばデートであり、それがお互いに楽しみでした。

あるとき、僕は「電話の日」ではない普通の日に、ふと彼女に電話をしてみました。彼女は家にいて、すごく喜んでくれて、話はむちゃくちゃ盛り上がりました。

僕はそれがたまらなく嬉しくて、しょっちゅう電話をするようになりました。前は時間も決めていたけれど、長電話をするようにもなりました。月に何万円も電話代がかかるようになっても、僕は楽しくて電話をかけることをやめられませんでした。

ところが彼女は、だんだん反応が悪くなってきました。

夜遅く、彼女が喜ぶと思ってわざわざ電話ボックスまで行ってかけたのに、「疲れてるの」「もう寝ようと思っていたんだけど」と言われたりしました。

僕は不思議でした。彼女のために、僕は何万円もお金を使い、寒くたって外に出て電話をしているのです。

「こんなにしてあげているのに、なぜ嬉しくないんだろう？」という気持ちになりました。

彼女とは結局、別れてしまったけれど、今の僕にはその理由がよくわかります。

僕は彼女に、愛をおしつけていました。やさしさの押し売りをしていました。

「僕はこんなにしてあげているんだから、もっと喜べ！」と脅迫していました。

「自分が愛しているんだから、君も愛してくれよ」というのは、たぶん愛じゃないのです。

なぜならば、愛は信頼《しんらい》でしかないだろうという気がするからです。

愛とは相手をまるごと受け入れることで、証拠を求めるようなことではないと思います。

君も、愛のおしつけをしていないでしょうか。

愛で相手をしばっていないでしょうか。

記念日にこだわったり、人前でいちゃいちゃしたり、写真をとりまくったり、もしかしたら、「愛の証拠」を残そうとしていないでしょうか。

相手に愛されないと不安、相手が愛してくれている証拠がないと不安。

こんなふうに思ってしまうのは、自分に自信がないからです。

君がもしも人を好きになったら、自分も相手も尊重してほしいと僕は思っています。

なぜならば、お互いが尊重し合う独立した人間同士が育むものが、愛だと思うからです。

愛はとても素敵で難しくて、実は僕にもわからないことがいっぱいあります。

それでも、彼氏・彼女のことも、友だちのことも、尊重するのは当然で大切だと思うのです。

「練習」と思って人とつき合う

どんなに仲がいい友だちでも、それは君自身ではありません。

たまたまクラスが同じだけ、たまたま部活が同じだけ、たまたまグループが同じだけ。

それだけの関係の人全員と仲良くするなんて不可能だし、相手の心を知るなんて無理です。

人間はどんな行動をするのか想像がつきません。だからこそ面白《おもしろ》く、勉強になります。

たとえば君は、友だちとの関係でものすごくいやな経験をして、悩むかもしれません。

でも、あとで振り返ってみたら、その経験によって頭が良くなったと気づくかもしれません。なぜならば、悩んで苦しんでいるとき、君はものすごく思考し、成長できるからです。

だからこそ、人間関係の苦しみは、すごく重要なものだろうと僕は思います。

人とかかわって、楽しかったり悔しかったりする、その全部が情報です。

「人間関係は練習だ」と思って人とつき合ってみましょう。

学校というのは、最高の練習の場です。社会に出たら、いっぺんにたくさんの人とかかわるチャンスはなかなかありません。

また学校なら、どんなにいやなやつでも、卒業したらリセットです。しょせん練習なのですから、うまくいかなくても、ケンカをしても、やられても大丈夫。

「今」は一生続かないし、学校は世界のすべてではありません。

人間に関するいい情報もいやな情報もたくさん集め、いっぱい考えて成長するために、「人とつき合う」という練習をしていきましょう。

ただし練習は、君のコンディションが良く、じゅうぶん元気でいるときにやりましょう。風邪や怪我で体調が悪いのに、無理やりに練習をしたら、体にダメージを与えてしまうのと同じことです。

心がズタボロに傷ついて、どうしようもなくなっているなら、練習は休みましょう。君がとことん落ち込んでしまっていたら、悩んだり苦しんだりしても乗り越えられないし、なんの勉強にもなりません。

「人とつき合う練習」を休むには、逃げてしまうのがいい。適当《てきとう》なところで脱出《だっしゅつ》しましょう。

不登校の子たちは「学校に行けない自分」を責めていることがよくあります。

親も心配しているし、自分がダメな人のように思えて、余計につらくなっています。

でも僕は、不登校というのは、すごく大事な身の守り方だろうと思っています。なぜならば、無理をして学校に行くと、自分が壊れてしまう可能性があります。自分を壊してまで、人とつき合うことはありません。

「普通は学校くらい行ける」という空気に押しつぶされて命を断《た》つなんて絶対あってはならないことです。

大事なのは、生き延《の》びること。生き延びたら、またチャレンジできるからです。

心の問題はむし歯と同じで、我慢《がまん》をすればするほど悪化してしまいます。

心がつらくて「もういやだ」と思ったら、「いやだ！」と言っていい。

それすら言えないくらい弱ってしまったときは、黙《だま》って逃げてしまえばいい。

一番大切なのは、君の命です。

命とひきかえにしなければつき合えない友だちなんて、君にはいらないと思います。

第6章

本当の
仲間の
作りかた

１人なら、自分の思いどおりに
スイスイできます。
でも、それは１人分です。
１人でできないことは、
一緒にやってくれる人を
見つけなければなりません。
そんな人を見つけるのは難しいし、
見つかっても自分の思うようには
ならない。

それでも投げ出さずに、
人とかかわり続けることで、
1人ではできないことができる。
本当の仲間ができていきます。

「弱い自分」を見せる勇気《ゆうき》

アメリカ人の宇宙の研究者と、日本人の宇宙の研究者が、僕らの工場に視察に来てくれたことがあります。

子どもたちと同じように、やり方を教えずに小さなロケットを作ってもらいました。それぞれ20人ほどいましたが、日本人の研究者は最後まで一言もしゃべらず、一人一人黙々と作っていました。「いやあ真面目だなあ」と僕は思いました。

アメリカ人の研究者は、作業開始と同時に立ち上がって歩いていました。日本の学校であればすぐ「問題行動、厳重注意《げんじゅう》!」の態度です。わからないところを聞いてまわる人、「こうやるんだよ」と教える人、おしゃべりする人。「いやあ自由だなあ」と僕は思いました。

やがて作業時間が終わり、打ち上げとなりました。

日本人研究者が作ったロケットの半分以上は、空中でバラバラに壊れました。

アメリカ人研究者が作ったロケットは全部成功し、全員がハイタッチで大喜びをしました。

いったい、何が起きたのでしょうか？

アメリカ人研究者が優秀で、日本人研究者がダメだったわけではありません。

日本人研究者が失敗したのは「わからない」というのが恥ずかしいことだと思い込んでいたからでした。各自がわからないと言えず、1人でなんとかしようとして失敗したのです。

アメリカ人研究者は、わからないことはお互いに教えあったから、全員成功したのです。

そこにはためらいも、恥ずかしさもありませんでした。世界はわからないことで満ちあふれているとみんな知っていたからでしょう。

知らないことを「知らない」と言う。

わからなければ「わからない」と言う。

かっこつけずに弱い自分をさらけ出し、調べたり尋《たず》ねたりして人と協力すれば、たいていのことはなんとかなるのです。

この本を読んでくれている君は、少しずつ自信を取り戻しているかもしれません。

でも君は、「まだ足りない」と感じている気がします。

それだけじゃなく、「知らない、わからない、弱い自分は恥ずかしい」と思い、「自信がないから自分を見せられない」と思っているかもしれません。

「はじめに」でも書きましたが、僕も足りないことは恥ずかしいことだと思っていました。

だから一生懸命に、足りているフリをしていました。

なぜならば、僕は小さい頃から、まわりの大人に「ちゃんとしなさい」とさんざん言われてきたからです。「ちゃんとする」とはどういうことかわからなかったので、とりあえず「人に迷惑をかけないようにしよう」と思いました。

だから僕は、人を頼らなくなりました。

「なんでも1人でできなくっちゃ」と思い、全部1人で背負い、弱みを見せなくなりました。

どんなに困っていても、誰にも相談できなくなりました。

誰かが心配してくれても「大丈夫、何でもないよ」とごまかすようになりました。

やがて僕は、誰にも心を開けなくなりました。一人ぼっちになってしまったのです。

君はどうでしょうか。人に心を開き、弱い自分を見せる勇気を持っているでしょうか。

自信とは、まわりに合わせたり流されたりせずに、自分が大好きでやりたいことを見つけ、試していくことで生まれます。

君の最高の味方は君自身であり、君の夢の邪魔をするような人たちと、無理やり仲良くする必要はありません。

でも君には、本当の仲間と出会ってほしい。

そうすれば、君の自信はもっと輝くから。君の夢はもっと叶えやすくなるから。

僕は勇気を出して人を頼ったことで、同じように勇気を出して人を頼った永田先生と出会い、お互いの足りなさを助け合って「ロケットを飛ばす」という夢を叶えることができました。

君にも、そんな仲間を作ってほしいと願っています。

差し出してくれる手は、握ってみよう

就職したとき、まわりは頭がいい人ばかりで、僕はたちまち自信をなくしました。「これだけは負けない」と思えるのは飛行機の知識だったので、「すべての話題を飛行機の話にもっていく」という、かなり無理のある防御《ぼうぎょ》作戦にでました。

明らかに変だし、自分でも違和感《いわかん》がありすぎです。人としゃべるのがいやになりました。

会社では仕事の話だけして、寮では自分の部屋にこもり、孤独《こどく》になっていったのです。

すると隣の部屋のヤツが、いつも1人でいる僕を心配してくれました。何かにつけて声をかけ、「大丈夫か?」と気にしてくれました。

そいつは明るくて性格がいい。しかもすごく背が高いイケメンで、スポーツマンです。

その段階で、背が低くてイケメンでもなく、球技が苦手で文系の僕は拒絶《きょぜつ》反応です。「僕らはそもそもカテゴリーが違うだろ」と思い、花火大会だのダブルデートだのという彼の誘いはすべて断りました。

ところが彼は、断っても断っても、遊びに誘ってくれるのです。

あるとき、スキーに誘われた僕は、とうとう承知《しょうち》しました。あまりに何回も断って悪いと感じていたし、スキーなら、まあいいかと思ったのです。道具はレンタルですませました。

ゲレンデに行き、滑り出すと、彼は「植松、すごいじゃん」と驚きました。「どうすればそんなふうにシャーッて止まれるんだ？」と言われて、僕は気がつきました。

北海道で生まれ育った僕には普通にできることが、スポーツマンの彼にはできない。むしろ彼のスキーは初心者レベルで、かなり下手くそなのです。

そこで滑り方のコツを教えると、彼はスポーツマンだけあって、たちまち上達しました。

シャーッと止まったら、彼の彼女も「かっこいい!」と大喜びです。

すると彼は「いやあ、植松に教わったおかげだよ」と言ってくれました。

そればかりか、会社のみんなに「植松はスキーの名人だぞ。教わるとすごく上達するんだ」と宣伝してくれたのです。

それに気を良くした僕は、ボーナスでスキー道具を買い、台も用意して整備をしました。

「なんで新品のスキーを整備なんかするの?」と聞いてきたヤツがいたので、「買ったまんまじゃダメだよ。整備すると滑りやすくなるんだ」と答えました。ついでにそいつのスキーも整備してあげたら、「すごいよ!おかげですごくよく滑れたよ」と大喜びです。

それ以来、僕は寮のみんなと仲良くなりました。僕が帰る前から部屋で誰かが待っている状態になり、みんなでスキーに行くようにもなりました。

それは、僕に手を差し出してくれたお節介なイケメンのおかげです。

彼は何度も何度も、あきらめずに手を差し出してくれました。

僕が恐る恐る握り返した手を、しっかり握って、離さずにいてくれました。

彼とは今でも友だちで、今でもすごく感謝しています。


君はもしかしたら、「人づき合いなんか面倒だ」と思っているかもしれません。

それでも、どこかにお節介な人がいたら、そのお節介を甘んじて受け、差し出された手を握ってみるのもいいんじゃないかと思います。

なぜならば、うざいと思っても、いつか救われるかもしれないから。

なぜならば、仲間はいいものだと、君にも気づいてほしいから。

わかってくれる人に出会うまで語り続けよう

夢を叶えるためには、人に話すことが一番の近道です。

君がやりたいことを、やったことがある人。君がやりたいことについて知っている人。

そんな人と仲良くなれば、大好きなことをやる方法が見えてきます。だから、そんな人に出会うために、人に夢を話すことが大切です。

君はもしかしたら、「誰にもわかってもらえない」と思っているかもしれません。何度か夢について話して笑われ、自信をなくし、あきらめてしまったかもしれません。

しかし、君の夢について、わかってくれる人は必ずいます。

ただし、ひとつ断っておきたいのは、すぐに見つかるわけではないということです。最初に話した相手が、「それなら私は経験があるよ」という人である確率はすごく低い。

次に話した相手が「ええっ、それはすごい。応援するよ」と言ってくれる確率も低い。でも、次に話を聞いてくれる人のなかには「それ、僕の親戚のおじさんがやってるよ」という人がいるかもしれません。それをチャンスにしないともったいないのです。

1回や2回話してダメだったくらいで、あきらめてしまうのはもったいないのです。夢を否定されても馬鹿にされても、悔し涙をふいて次の人に話してみましょう。

わかってくれる人に出会うまで、あきらめずに語り続けてください。

この世界のどこかに必ず、君を信じて支えてくれる仲間がいます。

世界を拡大する計画を立てよう

夢をわかってくれる人と出会うために君に試してほしいのは、世界を拡大することです。

親はわかってくれないかもしれないし、先生もわかってくれないかもしれない。

クラスにはわかってくれる人がいないかもしれないし、学校にもいないかもしれない。

でも、社会のどこかに、君の夢についてわかってくれる人がいます。

だから、人とかかわるチャンスは逃さないほうがいい気がします。

世界を拡大する計画を立てましょう。

たとえば本を読んで感動したら、作者に手紙を書いてみるのもありです。

返事が来なくても君が失うものはないし、傷つきもしません。だけれど、もし返事が来たら君の世界は広がります。

たとえば休みの日に、役所がやっているボランティア活動に参加するのもいいでしょう。ボランティア活動やお菓子教室や陶芸《とうげい》教室など、いろいろな催《もよお》しがあります。行ってみたらお年寄りも大人もいて、今までとは違う人とのつながりが生まれ、世界が広がります。そこで頑張ったらかわいがってもらえるし、そのなかに君の夢をわかってくれる人がいるかもしれません。「土日は部活や塾《じゅく》」と決めつけずにいたら、同世代以外の人とかかわるチャンスが生まれるのです。

ただし、ネットですぐにつながれるとか、夜の街で声をかけてくるとか、「かかわりやすい大人」は避けることにしましょう。なぜならば、そういう大人のなかにはかなりの確率で悪い人やダメな人がいるので危険だからです。

「世界を広げる」という意味で、外国の人に目を向けるのもいいでしょう。

日本には君の夢をわかってくれる人がいなくても、世界にはいるかもしれません。

もしも君が「海外に行くチャンスもお金もないから無理」「留学ができなければ無理」

と言うなら、それは思い違いです。

今は仕事や観光で、たくさんの外国の人たちが日本に来ています。外国に行って出会う外国人より、わざわざ日本に来ている外国人のほうがつき合いやすいと思います。彼らは日本に興味を持っているでしょう。外国に行けば君が外国人だけれど、日本にいれば君は地元の人です。見知らぬ外国人とコミュニケーションをとったとしても、土地勘《とちかん》があるぶん、犯罪に巻き込まれる確率はずっと低いと思います。

もしも君が「言葉ができないから無理」というなら、それは思い違いです。

1つの言い方で通じなかったら、別の言い方をしてみましょう。

「セサミストリート」という子ども向けの英語番組では、登場するマペットは必ずしも英語をしゃべっていません。ふにゃふにゃホガホガ言っているだけなのに、英語の授業になっています。なぜならば、表情豊かに、伝える努力をしているからです。

これは外国の人とのコミュニケーションに限ったことではありません。

「わかってもらえない」と文句を言う前に、伝える工夫やわかってもらう努力をしましょう。

「好きなこと」で仲間を増やす

中学生の僕は、1人でいるのが平気で運動が極端《きょくたん》に苦手。クラスでも浮いた存在でした。

ところがあるとき、僕が作ったペーパークラフトの飛行機を飛ばしてみたら、体育館の端から端まで、まっすぐ一直線に飛んでいきました。まるで生き物みたいでした。飛ばした僕もびっくりしましたが、まわりはもっとびっくりしました。

「作りかたを教えてくれよ」

そう言われて嬉しかった。人に頼られて嬉しかった。小さく自信がつきました。

僕の紙飛行機は、子ども用のペーパークラフトの本にある型紙で作れました。子ども用とはいえしっかりした本で、たった2ページを切って貼るだけで立体が作れるのです。

「これをでっかく拡大して金属で作ったら、本物ができるかな?」と思った僕は、あるとき、本当にやってみました。自分でいろいろ工夫したら、できてしまいました。それを見ていた近所の板金屋のおっちゃんが「おまえは筋がいい」と言って専門書をくれました。難しかったけれど大好きなことだから、ますます本気で勉強してしまいました。

板金屋、鍛冶《かじ》屋、蹄鉄《ていてつ》屋。

僕のまわりにはもの作りのプロのおっちゃんたちがいっぱいいました。

僕の父さんも工場をやっていたし、まわりの大人がものの作りかたを教えてくれました。

おかげで僕は、大好きなもの作りがもっと得意になりました。

「作りかたさえわかれば、普通の人だってどんなものも作れる」という自信もつきました。

自分の好きなことや趣味があれば、それをきっかけに、いろんな人とかかわれます。

同じ趣味の仲間と出会い、一緒にやるのは最高です。また、違う趣味の人と出会い、お互いの自信を持ちよって、夢を叶えることもできます。

「人の話を聞ける人」になろう

君がわかってくれる人を探して君の話をするのなら、おかえしもしなくてはいけません。

つまり、君も誰かの話を聞いて、わかってあげる人になるのです。

人の話をよく聞けば、君の夢を君の仕事にする方法も見つかります。

なぜならば仕事とは、困っている人の役に立つことだからです。

みんなは何を「悲しい、苦しい、不便だ」と思っているのでしょうか。人の話をよく聞いて、「なんとかしてあげたい」というやさしさで考えれば、きっと新たな発見があります。

君に自分の夢を話してくれる人がいて、それがもしもよくわからないものだったら、ただひたすら聞きましょう。わからなかったら質問してみましょう。もしかすると、そんな人が、君の仲間になっていくかもしれません。

君に自分の苦しさを話してくれる人がいたら、知識や経験がないのに無理やりアドバイスをしようとするのはやめて、ひたすら聞きましょう。

そしてたった一言、これだけは言ってあげましょう。

「話してくれてありがとう」と。

この言葉で相手がほっとしてくれるかもしれません。

もっと話してくれるかもしれません。

そんな人も、君の仲間になっていくかもしれません。

「相手ができないことをしてあげる人」になろう

「人に喜ばれる仕事をしたい、役に立つ仕事がしたい」

君がもしそう思うなら、人が何に困っているかを知ることです。

そしてその人ができないことを、してあげられる能力を身につけることです。

ときどき、「人の役に立ちたいから、災害被災地《さいがいひさいち》でボランティアをします」「難民《なんみん》キャンプに行きます」と言う人がいます。

残念ですが、ただ行っても迷惑になる可能性があります。相手が何を求めているかを知り、できないことをしてあげる能力がなければ、あまり役に立たないからです。

人が何に困っているかを知るには、人をよく観察《かんさつ》することです。

なぜならば、人に「何に困っていますか？」と聞いても、答えは返ってこないからです。本当に困っている人は、自分が何に困っているのかが見えていないことがよくあります。

たとえば、荷物をたくさん持って階段を上っている人は、「階段がきつい」というのはわかっていますが、「階段の上のドアを開けるとき、両手がふさがっていて開けられない」ということまで考えつきません。なぜならば、当人は「今」大変なことに集中しているからです。

でも、はたから見ている人には、「ああ、階段が大変だ。それに階段の上のドアを開けるのは無理そうだ」と、より多くの困りごとがわかります。なぜならば、人のことは冷静に観察できるからです。

観察しながら、相手がそのあとどうするかまで、想像する練習をしましょう。

それには、相手を助けたいというやさしさや思いやりも必要です。なぜならば、「しょせん他人事《ひとごと》」と思っていたら、想像力が働かないからです。

想像することができたら、行動しましょう。

たとえば、「ドアを開けるくらいなら、自分にもすぐできる」と思ったら、それをしてあげます。確実にそのときの役に立ち、そのときの困りごとが解決します。

たとえば「自動ドアの作りかたを知っている」というなら、それをしてあげます。その人が階段を上るたび、繰り返し役に立てますし、困りごとが根本的に解決するかもしれません。

夢をいっぱい持って、自分にできることを増やしておけば、たくさんの人のさまざまな困りごとを解決することができます。

それが、夢を叶えることだし、いい仕事をして自信を増やしていくということです。

1人でやろうとすると1人分しかできない

これから君は、叶わない夢に出会うと思います。

なぜならば、すべて1人でやろうとするからです。

僕は会社の人たちに、よくこんな話をします。

「うちの会社のいろんな設備は、みんなで一緒に働いたから買えたものだよ。1人じゃ一生働いても買えないような何百万円もする機械も、みんなで力を合わせたから手に入ったんだよ。それを資本に、それぞれが自分の好きなことをするのが会社なんだ。仲間が力を合わせていろいろなことをするから、会社も社会も同じ字を使ってるんじゃないかな？」


僕は会社を作った頃、なにもかも全部1人でやっているつもりでいました。

規模も小さいから、全部のことに自分がかかわらないとダメだと思っていました。

しかし、やがて売上が落ちて僕はものすごく忙しくなり、外での会合が増えて会社にいられないようになりました。すべてに口を出したくても、出せなくなったのです。

するとと不思議なことが起きました。

僕がとやかく言わないと何も進まないと思っていたのに、留守《るす》にしていて「あれはどうなった？」と聞くと、「もう終わっています」との答え。会社の仲間がやってくれていたのです。

そのときに、気がつきました。

僕がいちいち言わなくても、みんなちゃんとできるんだということに。

それから信じて任せるようにしたら、売上も伸びていきました。

今では、自分がいなくても成り立つ会社にしようと思っています。


僕は会社を経営しはじめたとき、「リーダーにならなきゃ」と思いました。みんなが信じて「この人なら！」とついてくる、すごい社長になろうと考えていたのです。

今思えば、リーダーシップとはカリスマ性だと勘違いしていたのだと思います。

リーダーにカリスマ性を求める人は、自分で考えず、責任と判断を避けたいだけの人です。言われたことを言われた通りにするのが楽だから、カリスマに判断を任せようとしています。
これがエスカレートすると、ナチスドイツのような恐ろしいことになってしまいます。

僕はカリスマになるのをやめました。僕と同じように、自分の好きなことを自分の意思でやる人と、一緒に夢を叶えたいと思っています。

今ではリーダーについての考えも変わりました。リーダーシップとは文字どおりリードすることだから、自分が「やるべきだ」と思ったことを、誰よりも先にやる人になればいいと思っています。もしもゴミが落ちていたら、誰かに「拾え」と言うのではなく、自分が拾う人になるのが、リーダーだと感じるのです。

自分の意思で、自分が好きで、やるべきだと思うことを、自ら進んでやる人が増えれば、世界は変わると思っています。

自分の頭で考える、自信に満ちた人が増えたとき、僕たち一人一人が仲間として、ゆるやかにつながることができると思っています。

1人でなんでもできる能力を増やすことはすごくいいことです。
でも仲間と一緒にやったら、もっとできるようになります。

だからこそ、自信がないという君に、自信を取り戻してほしい。
比べなくていい自信。内側から湧き上がる本当の自信。
それは、実はやさしさです。すべてはそこから始まると思っているからです。

植松　努 うえまつ　つとむ

1966年、北海道芦別市生まれ。株式会社植松電機・代表取締役。株式会社カムイスペースワークス・代表取締役。NPO法人北海道宇宙科学技術創成センター（HASTIC）・理事。幼少の頃より紙飛行機が好きで、大学では流体力学を学び、卒業後に入った会社では航空機設計を手がけた。植松電機では、バッテリー式マグネット開発の他、ロケット開発、宇宙空間と同じ無重力状態を作り出す微小重力の実験、小型人工衛星開発、アメリカ民間宇宙開発企業との共同事業など、「人の可能性を奪わない社会」の実現のため邁進している。その一方で、全国各地での講演やモデルロケット教室を通じて、年間10,000人以上の子どもたちに、「どうせ無理」をはねかえし、夢をあきらめないことの大切さを伝える活動をしている。おもな著書に『NASAより宇宙に近い町工場』（ディスカヴァー・トゥエンティワン）、『空想教室』（サンクチュアリ出版）、『思うは招く』（宝島社）などがある。

「どうせ無理」と思っている君へ
本当の自信の増やしかた

2017年3月31日　第1版第1刷発行
2024年4月8日　第1版第16刷発行

著　者 ――― 植松　努
発行者 ――― 岡　修平
発行所 ――― 株式会社PHPエディターズ・グループ
〒135-0061　江東区豊洲5-6-52
☎03-6204-2931
http://www.peg.co.jp/

発売元 ――― 株式会社PHP研究所
東京本部　〒135-8137　江東区豊洲5-6-52
普及部　☎03-3520-9630
京都本部　〒601-8411　京都市南区西九条北ノ内町11
PHP INTERFACE　https://www.php.co.jp/

印刷所
製本所 ――― TOPPAN株式会社

© Tsutomu Uematsu 2017 Printed in Japan
ISBN978-4-569-78640-7

※本書の無断複製（コピー・スキャン・デジタル化等）は著作権法で認められた場合を除き、禁じられています。また、本書を代行業者等に依頼してスキャンやデジタル化することは、いかなる場合でも認められておりません。

※落丁・乱丁本の場合は弊社制作管理部（☎03-3520-9626）へご連絡下さい。送料弊社負担にてお取り替えいたします。